afgeschreven

Manegeruiters rijden beter!

'Manegeruiters rijden beter' is gepubliceerd door:
DamnWrite!
Apeldoorn
www.damnwrite.nl
www.manegeruiters.nl

Eerste druk, 2010
ISBN: 978-94-91006-01-2
NUR-code: 487

Tekst: Afke Teunen

Illustraties en vormgeving: Martijn Cornelissen

Druk: Offset Print b.v, Valkenswaard

Copyright: © 2010 DamnWrite!, Apeldoorn

Copyright illustraties: © Martijn Cornelissen

Manegeruiters rijden beter!

Afke Teunen

Inhoud

6 **Voorwoord**

9 **Noot van de auteur**

10 **Hoofdstuk 1:** Paardengedrag en hoe je te gedragen bij paarden
Hap betekent... • Straffen • Negeren • Belonen • De praktijk • Eerst
kloppen! Een kennismakingsetiquette • 'Zeg, ken ik jou niet ergens van?'
Zo maak je indruk op je paard • Ros ontmoet ruiter. De aard van toen
is de zorg van nu

24 **Hoofdstuk 2:** Beter zitten, beter rijden, beter welzijn met de juiste houding
'Voor je kijken en hakken naar beneden' • Houding-, en vormspanning • Ontspanning • En nu rijden! • Bewustzijn in het zadel • De
houding van het paard • Rechtop zitten: de makkelijke versie • Obstakels
• Oefeningen • Spiegeltje, spiegeltje...

38 **Hoofdstuk 3:** 'Het is jouw taak het paard te verbeteren.' Maar hoe?
Traaag • De plakker • Hij ziet spoken • 'Hij trekt aan de linkerteugel' •
Afsnijden • In staking • Met zijn neus in de lucht • Hij hangt • Problemen
met gangen • Dribbelen • Veel te hard in draf • Hij wil niet in galop •
De verkeerde galop • Overkruist in galop • Problemen met oefeningen •
Wijken wil niet • Stop dan! • Sleutelen aan je paard met bijzetteugels en
martingaal • Realiteit? Check! • Ik zie.... • Voel jij wat ik voel? • Wat
ruik je lekker • Hoor je dat? • Lekkerrr

58 **Hoofdstuk 4:** Verrassing! We gaan dressuur rijden
Spelen met blokjes • De fundering; houding en zit • Een beetje harder
of zachter • Subtielere hulpen • Stelling; iets naar binnen kijken • Met
buiging door de bocht • Wijken, voorwaarts en zijwaarts • Gefopt! We
rijden schoudervoorwaarts • Ausbildungsskala, systematisch verbeteren •
Rondjes draaien. Nog wat aanwijzingen voor wendingen • Zo word je
de favoriet van je instructeur

76 **Hoofdstuk 5:** '**A-X binnenkomen in arbeidsdraf**'. Op naar een winstpunt
Een goede voorbereiding • Losrijden • De proef • Moet hij aan de
teugel? • Charmeoffensief • F-proeven voor manegeruiters van FNRS-
bedrijven • Zitcompetitie • KNHS-manegestartkaart • Het lukt, het lukt
niet, het lukt…mental coaching

88 **Hoofdstuk 6:** Specialiteiten: springen en carroussel
Deel 1: springen • De springhouding • Voor, tijdens en na de sprong •
'Het past niet!' • Balans en ritme • Springproblemen en oplossingen •
Hij gaat… hij gaat… ernaast • Stopper • Stormer • Vliegende balken •
Als een gazelle • Wedstrijden. Springen voor een lintje • 'Echte'
springwedstrijden •
Deel 2: carrousel rijden • Carrousel zoekt carrouselruiter: heb jij het in
je? • De kunst van carrousel • Moet hij nu wel aan de teugel? • In geval
van nood… • NK carrousel rijden

104 **Hoofdstuk 7:** Het doel van je lessen; eh… leren paardrijden?
Ja, ik wil • We moeten praten • G.R.O.W. S.M.A.R.T., slim op je doel af

110 **Hoofdstuk 8:** Komt een ruiter bij de manege, met een testformulier
Paarden: gezond en blij • Tuigage: passend, verzorgd en compleet •
Stallen: ruim, sociaal, schoon en licht • Instructie: met een klik • Omgang
ruiters en paarden: respectvol en klantvriendelijk • Kantine: met mosselen
(maar dat hoeft niet) • Omgeving: bosrijk voor buitenritten • De sfeer:
doorslaggevend • FNRS-sterren • Veiligheidscertificaat

122 **Hoofdstuk 9:** Veiligheid, regels, verzekeringen en nog wat kleine lettertjes
De WA-verzekering • Aansprakelijkheid • Een CE/EN 1384-helm •
Rijbaanregels

128 **Nawoord**

130 **Dank**

Voorwoord
'Manegeruiters rijden beter'

'Manegeruiters rijden beter', zei trainer Chris Haazen tijdens een interview. Eigenlijk zei hij: ,,Genoeg manegeruiters rijden beter dan ruiters met een eigen paard, want manegeruiters rijden op verschillende paarden en dat maakt ze handiger." Maar dat past niet op de cover.

Haazen heeft tegenwoordig een privéstal in België waar hij enkele topruiters traint, maar daarvoor heeft hij dertig jaar een manege gehad. Met hem besprak ik de vooroordelen over manegeruiters. Er wordt bijvoorbeeld wel gezegd dat een uur in de week te weinig is om goed te leren rijden. Ik twijfelde eerlijk gezegd ook. Ik reed in die tijd elke maand op een andere manege voor de manegetest van het paardenmagazine Bit en de motivatie was soms ver te zoeken. Als ik bijvoorbeeld op een paard reed dat niet reageerde op mijn beenhulp, gaf ik het gewoon op. Want wat heeft het voor zin?! Haazen vond het belachelijk. Hij nam dat ene uurtje in de week juist erg serieus en ik werd dan ook direct op mijn vingers getikt. Hij zei: ,,Een ruiter kan het paard altijd verbeteren. Of verslechteren! Het is jouw taak hem beter te laten lopen en ik verwacht dat je daar je best voor doet. Je komt niet om een uurtje te zitten. Je komt rijden. Je doet het paard er helemaal geen plezier mee als je hem maar wat laat klossen en sloffen."

Ook de vooroordelen over manegepaarden kwamen tijdens ons gesprek aan bod. Zijn manegepaarden eigenlijk wel goed genoeg, kunnen ze wel op hoger niveau lopen? Haazen lachte en zei: ,,Ken je mijn vrouw?" Nee, ik ken haar niet persoonlijk, maar ik heb haar wel meerdere malen zien rijden op internationale wedstrijden. Jeannette Haazen rijdt al jaren Grand Prix. ,,En zij was een manegeruiter", zei Haazen. ,,En het paard waar ze haar eerste wereldbekerfinale mee reed was één van mijn manegepaarden!"

Na het interview liep ik weken te stuiteren en zelfs nu krijg ik een blij gevoel als ik eraan denk. Dit boek is mijn poging dat enthousiasme met je te delen. Ik hoop je te kunnen motiveren meer verantwoordelijkheid te nemen en ik wil je graag helpen het beste uit dat ene uurtje te halen, voor jouw plezier en dat van het paard.

afke

Noot van de auteur

Waar in dit boek manege staat geschreven wordt ook paardensportcentrum bedoeld. Ik vind manege gewoon gezelliger klinken en ik heb 'gezellige' herinneringen aan mijn manegetijd. Maar er zijn mensen die het woord zouden willen schrappen uit het hippische vocabulaire, vandaar deze uitleg. Ik heb er geen negatieve associaties mee. Met het woord manegeruiter dus ook niet. Dat zijn ruiters die op een manege rijden; en zeg zelf, paardensportcentrumruiter bekt ook minder lekker.

Het woord paard in dit boek betekent zowel merrie, ruin als hengst. Ik noem het paard en heb er een 'hij' van gemaakt.
Instructeur betekent natuurlijk ook instructrice, trainer en trainster. Ook hier heb ik een 'hij' van gemaakt, maar daar bedoel ik niets mee.

In het kort: ik heb niemand tegen het zere been willen schoppen met mijn woordkeuze en het spijt me als dat toch is gebeurd.

HOOFDSTUK 1

Paardengedrag
en hoe je te gedragen bij paarden

Het is een kuddedier, een prooidier en een vluchtdier. Dat zijn meestal de eerste dingen die je over paarden leert. Het verklaart waarom de hele groep, inclusief het sloomste paard van stal, ervandoor gaan tijdens een buitenrit als er ineens een grote hond luid blaffend uit de bosjes springt. Maar het verklaart niet waarom een paard bijt, die ene hoek niet in loopt of simpelweg niet doet wat wij willen.
Met kuddegedrag valt te leven, maar dat vervelende gedrag frustreert ons vaak enorm.

Wat je dus ook over paarden zou moeten weten, is dat vervelend gedrag meestal ontstaat door een misverstand. Soms hebben wij het gedrag zelfs aangeleerd! Neem nou het woord 'braaf' en het klopje op de hals. Voor het paard betekent dit niets. Het is een vreemd woord en een raar gebaar. Wij leren hem dat het een positieve betekenis heeft. De ruiter is tevreden, goed gedaan, ga zo door. Vervolgens geven we diezelfde boodschap als het paard zonder aanleiding moeilijk doet en die ene hoek niet in wil; braaf, klopje, ga zo door. En dan zijn we verbaasd (en een beetje pissig) als hij steeds vreemder doet voor die hoek.

Als je de dingen vanuit het paard bekijkt, zie je dat er vaak een (goede) reden is voor zijn gedrag. Als je dan ook naar je eigen ietwat onhandige handelen kijkt, vallen de puzzelstukjes op zijn plaats.

Hap betekent...
Vorig maand heb je nog heerlijk geknuffeld met je favoriete paard, maar deze keer bijt hij tijdens het zadelen of draait hij dreigend zijn kont naar je toe als je zijn stal inloopt. Is de liefde over? Waarschijnlijk niet.

Waarschijnlijk probeert het paard je te vertellen dat hij ergens last van heeft. Een negatieve verandering van het gedrag betekent meestal dat hij pijn heeft of gestrest is. Voor een vervelend paard zou je eerst de dierenarts moeten bellen, zodat je zeker weet dat hij niets mankeert.

Op nummer twee van de lijst met meest voorkomende verklaringen voor vervelend gedrag: het paard begrijpt je niet.

Vervelend gedrag kun je alleen goed aanpakken als je de motivatie kent. En dat is lastig, want een paard heeft veel verschillende redenen om bijvoorbeeld te bijten. Hap kan van alles betekenen. Zie hier enkele vertalingen van een knauw:

Het paard heeft pijn. Je borstelt te hard, bent niet voorzichtig genoeg met het zadelen of je singelt te hard aan.

Het paard is chagrijnig omdat hij honger heeft en weet dat hij eerst moet werken.

Misschien is hij gewoonweg slecht opgevoed en is zijn gedrag nooit gecorrigeerd.

Bijten kan zelfs aangeleerd zijn.

Het kan betekenen dat het paard aandacht zoekt.

Door te bijten tijdens het borstelen en zadelen kan het paard je ook proberen duidelijk te maken dat hij niet wil gaan rijden. Een paard kan heel goed verbanden leggen. Zadelen en borstelen zijn een signaal geworden en hij kan inmiddels met grote zekerheid voorspellen wat er na het zadelen komt: hij moet werken! En daar heeft hij problemen mee. Misschien omdat rijden pijn doet, bijvoorbeeld door een drukkend zadel of rugklachten. Of misschien vindt hij werken frustrerend, omdat hij de ruiter niet begrijpt. Of hij vindt de lessen saai.

Straffen

Er zijn drie manieren om op ongewenst gedrag te reageren: je kunt straffen, negeren of belonen. Straffen heeft alleen zin als het heel precies getimed wordt. Ben je te laat dan ziet het paard geen enkele relatie tussen de straf en zijn 'foute' gedrag. Het paard heeft namelijk een vrij kort geheugen. Zo'n voorbeeld van onzinnig straffen zie je nog wel eens in de springles. Een paard schiet op het laatste moment naast de hindernis en holt de sprong voorbij, de ruiter trekt aan de teugel, draait het paard om, zet hem voor de sprong en geeft hem een tik of stevige schop. Wat het paard hiervan denkt? Hij wordt naar de hindernis gestuurd, volgt de aanwijzingen op en krijgt een schop. Wat moet hij daar nou mee?

Straffen kan het probleem zelfs verergeren. Wanneer een paard bijt omdat het aandacht wil, maak jij het gedrag met een boze kreet al de moeite waard, want negatieve aandacht is ook aandacht.
Wanneer een bang paard een tik krijgt, heeft het nog iets om bang voor te zijn: jou!

Nog een nadeel van straffen: het leert het paard alleen wat het niet mag doen. Hij leert niet wat hij wel moet doen. Hij krijgt geen alternatief aangeboden.

Eerst kloppen!
Een kennismakingsetiquette
Het paard staat nog in zijn box en jij mag hem poetsen en zadelen. Hoe stel je jezelf voor? Met deze beleefdheidsregels zit je altijd goed:

Loop niet zomaar een stal binnen. Misschien staat het paard te suffen en in dat geval schrikt hij zich rot als de deur ineens met een hoop kabaal opengaat of als er ineens iemand naast hem staat. Maak dus duidelijk dat je eraan komt en roep buiten de box alvast een keer zijn naam. Wacht tot hij reageert.

Doe de staldeur open, maar loop nog niet meteen door. Roep vanuit de open deur nog een keer de naam van het paard en wacht op zijn reactie. Komt hij naar je toe, kijkt hij op of laat hij op een andere manier merken dat hij je heeft gezien, dan ben je uitgenodigd en kun je binnenkomen.

In plaats van handen schudden, kun je het paard aan je handen laten snuffelen. Even kroelen bij de schoft is een vriendschappelijk gebaar vergelijkbaar met een zoen. Na deze kennismaking kun je beginnen met poetsen en zadelen.

Negeren

Je kunt vervelend gedrag natuurlijk ook negeren en dan hopen dat het vanzelf weggaat. Maar dat zal niet meevallen. De meeste mensen kunnen hun irritatie slecht verbergen en paarden zijn ontzettend opmerkzaam. Dat bewees Slimme Hans, het paard van de Duitse wiskundeleraar Wilhelm von Osten.

Begin 1900 werd Slimme Hans wereldberoemd omdat hij kon rekenen. Zijn eigenaar had hem geleerd antwoord te geven op een vraag, een sommetje, door met zijn hoef op een houten plank te schrapen. Hans kon optellen, aftrekken en zelfs een vierkantswortel berekenen. Hij gaf vrijwel altijd het juiste antwoord. Hans en zijn baas kregen wereldfaam dankzij een artikel in The New York Times. Maar toen rees ook de vraag: kan een paard echt rekenen? Onderzoekers vonden in eerste instantie geen tekenen van bedrog en konden ook niet aantonen dat het een truc was. Psycholoog Oskar Pfungst ontrafelde alsnog het mysterie.

Er stond altijd iemand naast Hans; zijn eigenaar, een willekeurige persoon uit het publiek en later de onderzoekers. De psycholoog kwam erachter dat het paard onbewuste aanwijzingen van deze personen kreeg, want Hans gaf alleen het juiste antwoord als hij zijn hulpje goed kon zien. Als er niemand stond of, nog mooier, als de persoon die naast Hans stond zelf het antwoord niet wist, dan wist Hans het ook niet. De psycholoog keek daarom niet langer naar Hans, maar naar de mensen die naast hem stonden. Wat bleek? De hulpjes van Hans gaven onbewust minuscule signaaltjes. Er waren kleine veranderingen in de gezichtsexpressie te zien en de personen hielden heel even hun adem in als Hans het juiste cijfer had 'genoemd'. Het paard had zichzelf aangeleerd dat dit een teken was om te stoppen met schrapen.

Kort samengevat: doe vooral je best om vervelend gedrag te negeren, maar bedenk dat je wenkbrauw je al kan verraden. Wil je toch een poging wagen, loop dan gewoon weg van het paard.

Belonen

De beste manier om van verkeerd gedrag af te komen, is goed gedrag aan te leren. Hoe? Door het paard te belonen!

'Braaf' en het klopje op de hals hebben wij tot beloning bestempeld. Voor paarden heeft het geen betekenis. Braaf is een woord, zoals alle andere woorden. Het klopje is een vreemd gebaar en niet alleen voor paarden trouwens. Een Amerikaan zag mij een keer zijn paard uitgebreid belonen en riep meteen: „Don't hit my horse!" Toch leert het paard door ervaring dat het positieve signalen zijn. De ruiter is tevreden en dat is mooi.

Bij het aanleren van goed gedrag, zijn woordjes en klopjes weinig effectief, zeker op de manier waarop wij ze gebruiken. We zeggen 'braaf' als het paard galoppeert. Maar als we bedoelen te zeggen 'wat knap dat je in de goede galop zit', hadden we die eerste sprong moeten belonen, beter nog, de eerste aanzet tot die sprong.

Een klopje op de hals krijgt het paard vaak in de pauze of als we klaar zijn met rijden. Er is geen enkele relatie meer tussen de beloning en het specifieke goede gedrag, zoals dat correcte aanspringen in galop.

Ironisch genoeg zijn we een stuk doeltreffender bij het belonen en daarmee aanleren van verkeerd gedrag. Want wat doen veel ruiters als het paard zonder aanleiding die enge hoek niet in wil en bijvoorbeeld stopt, scheef over de hoefslag loopt of doet alsof hij spoken ziet? We zeggen 'braaf' en geven hem klopjes. En dit timen we perfect! We doen het precies op het moment dat het paard zich misdraagt. Geen wonder dat die hoek steeds enger lijkt te worden.

Hoe moet het dan wel? Beloon het paard door een voortdurend onaangenaam signaal weg te nemen op het moment dat hij het goed doet. Zo werkt je kuithulp. De druk van je kuit is niet vreselijk onaangenaam,

'Zeg, ken ik jou niet ergens van?'
Zo maak je indruk op je paard

De verzorgers pikken ze over het algemeen feilloos uit de menigte. Paarden zijn namelijk prima in staat individuen te onderscheiden. Maar hoe zit dat met al die ruiters die eens per week langskomen? Ook daar kan hij onderscheid in maken. Mits jij jezelf herkenbaar maakt.

Je stemgeluid is uniek dus het helpt om veel tegen je paard te praten. Als je daarbij iedere week hetzelfde geurtje gebruikt en dezelfde kleding draagt of in ieder geval kleding in een zelfde kleur, creëer je drie punten van herkenning.

Nu het paard je kan herkennen, kun je een band smeden. Een snack is een makkelijke manier om vrienden te maken. Geef het paard elke keer als je hem voor het eerst ziet die dag bijvoorbeeld een stukje wortel of appel. Elk paard heeft zijn eigen smaak, dus probeer uit te vinden wat hij het lekkerst vindt.

Met een lekkere borstelbeurt versterk je de relatie. Poetsen is geen onbeduidende actie enkel bedoeld om vuil weg te halen. Voor paarden is het een teken van vriendschap, net als het kroelen naast de schoft.

Met een consequente aanpak tijdens de omgang en het rijden, maak je jezelf de grote favoriet. Onze tegenstrijdige signalen zijn een belangrijke stressfactor voor paarden. Het kan alsnog even duren, maar na een paar maanden zal het hem gaan dagen: 'Ik ken jou ergens van.'

maar het paard kan best zonder. Hij stapt voorwaarts, jij stopt met drijven. Dit is een directe beloning en een goede reden de volgende keer weer te luisteren. Mits je consequent bent, natuurlijk.

Een ander voorbeeld: jij wilt het paard een stukje opzij zetten, duwt tegen zijn achterhand en zodra het paard een pasje opzij zet, haal jij je hand weg. De volgende keer duw je iets langer en haal je je hand weg als hij twee pasjes opzij gaat. Zo leert hij de relatie tussen jouw aanwijzing en je wensen. Zo zou het in ieder geval moeten gaan. Ik geef toe dat ik lange tijd bleef duwen tot het paard op zijn plek stond. Er was geen ontsnappen aan mijn signaal. Sorry paarden.

 Tip: het gaat je niet helpen bij het aanleren van goed gedrag, maar het is wel een geweldige manier om je paard te bedanken voor een fijn uurtje: kroelen! Vervang het klopje eens door met je vingertoppen bij de zijkant van de schoft te krabbelen, daar waar de hals overgaat in de rug. Paarden doen dit ook bij elkaar, maar dan met hun tanden. Je vingers zijn een smakelijker alternatief.

Kroelen is een vriendschappelijk gebaar. Het betekent 'ik mag jou'. Het lichaam van het paard reageert er ook op, want de hartslag daalt en de hoeveelheid stresshormonen neemt af.

Als je echt lekker krabbelt, doe je hem een enorm plezier en kan het paard jou dezelfde dienst willen bewijzen en jou gaan kroelen. Met zijn tanden! Niet schrikken, niet slaan, maar wel even je wensen bespreken. Stop met kroelen als hij te hardhandig wordt, want dan zal hij ook ophouden. Ga daarna weer voorzichtig verder. Als je consequent stopt voordat je arm blauw wordt, leert het paard snel genoeg hoe jij gekroeld wil worden.

De praktijk

Hoe vertaal je het straffen, negeren en belonen nu naar de praktijk? Hoe pak je vervelend gedrag aan? De oplossing hangt af van de motivatie en de oorzaak. Op de manege hangt het natuurlijk ook af van hoeveel tijd je hebt.

Neem het bijtende paard nog eens als voorbeeld. Als het gewoon een hork is, kun je hem heropvoeden. Hij kan best leren normaal en met gesloten mond stil te staan. Straffen heeft geen zin, maar je kunt hem steeds terug op zijn plaats zetten zodra hij een voet verzet om binnen hapafstand te komen. Natuurlijk wordt hij enorm geprezen als hij even stilstaat en niet bijt.

Soms kun je het probleem simpelweg voorkomen. Een paard dat je aan beide kanten van zijn halster vastzet met een touw, kan helemaal niet bijten! Wees slim en houd het simpel.

Staat het paard niet stil tijdens het opstappen? Laat iemand anders hem even vasthouden en geef hem een klopje als hij wel stilstaat. (En gebruik altijd een krukje bij het opstappen!)

Draait het paard zijn kont naar je toe zodra je de staldeur openmaakt? Geef omkoperij een kans! Lok hem met wat brokjes. Maar let op, geef niet meteen al je lekkers. Begin met een enkel brokje, doe het halster om, zet het paard vast en geef pas daarna de rest. Paarden zijn namelijk ook slim. Je wilt voorkomen dat hij zijn buit pakt en zich dan weer omdraait.

Een paard dat bijt omdat het aandacht zoekt, wordt beloond als je hem een tikje op de neus geeft. Maar ook een kreet (au!) en zelfs een boze blik zijn wat hem betreft de moeite waard. Negatieve aandacht is immers ook aandacht en hiermee wordt het bijten dus aangeleerd.

Als je zeker weet dat het alleen om aandacht gaat, kun je dit gedrag afleren door een harde borstel aan je arm te binden, met de haartjes naar buiten, daar waar hij je normaal gesproken probeert te happen. Het mooie van deze truc is dat jij niets hoeft te doen, want het paard corrigeert zichzelf. Jij hebt een veel leukere taak, je mag belonen als hij niet meer hapt.

Andere situatie, vergelijkbare truc: paarden die tijdens het zadelen wel eens uithalen met een achterbeen, zet je wat dichter tegen de muur. Als ze nu slaan, geven ze zichzelf ook een klap.

Soms kun je vrij eenvoudig de oorzaak wegnemen. Misschien misdraagt het paard zich tijdens het poetsen omdat het hem pijn doet. Jij moet dan gewoon wat zachter en voorzichtiger zijn! We vergeten wel eens dat het paard net zo gevoelig is als wij. Het zadel wordt dus met een plof op zijn rug geslingerd, met een rosborstel krabben we modder van zijn onderbenen en na een knietje in zijn buik wordt de singel goed strak aangetrokken.

Probeer het zadelen en poetsen leuk te houden. Onderzoek hoe het paard graag geborsteld wil worden. Wat vindt hij fijn? Gebruik harde (ros)borstels alleen op de vlezige delen van het lijf, zoals de billen, hals en schouders en pak voor de benen een zachte borstel. Trek de klitten niet uit zijn staart, maar pluis ze voorzichtig los. Zo zou je het bij jezelf ook doen, neem ik aan.

Soms misdraagt het paard zich nu omdat hij weet wat straks gaat komen en dat vindt hij blijkbaar minder leuk. Paarden leggen niet alleen verbanden tussen goed gedrag en beloningen. Ze kunnen bijvoorbeeld ook het verband leggen tussen poetsen en rijden. Het poetsen wordt een signaal. Het rijden is het echte probleem. Je zou paarden soms eens door de wei moeten zien rennen als hun ruiter ze komt halen. Eén blik op die rijbroek is genoeg. Ze weten precies wat er gaat komen.

Dat signaal kun je vrij makkelijk loskoppelen. Kom eens wat vaker naar de manege. Geef het paard een lekkere poetsbeurt, stop hem een appel of worteltje toe en ga weer weg. Bewijs dat borstelen heel fijn kan zijn en laat hem zien dat het niet altijd betekent dat je gaat rijden. Het is natuurlijk nog belangrijker uit te vinden waarom hij het rijden niet leuk vindt. Heeft hij pijn, is het te stressvol, of vindt hij het saai? De dierenarts zal moeten uitsluiten of het paard ergens last van heeft. Stress kun je deels voorkomen door consequent en duidelijk te zijn tijdens het rijden. Om de les wat leuker te maken kun je een buitenrit voorstellen of de instructeur vragen wat drafbalkjes in de bak te leggen.

De eenvoudigste manier om het rijden leuker en minder stressvol te maken, is natuurlijk door je paard uitvoerig te belonen voor alles wat hij goed doet.

Ros ontmoet ruiter
De aard van toen is de zorg van nu

Heel, heel lang geleden (zo'n 60 miljoen jaar geleden) leefden er viertenige diertjes van 45 centimeter groot in bosrijke gebieden. Deze diertjes veranderden toen de bossen verdwenen en plaatsmaakten voor droog grasland. Zonder de sappige boomblaadjes, moesten ze leren leven van stekelige grassoorten. Om deze te kunnen verteren ontwikkelden ze stevige kiezen en een vernuftig maag- en darmstelsel. Het paard werd eentenig zodat hij efficiënter kon lopen op de harde ondergrond. Hij werd hoogbenig zodat hij sneller kon vluchten voor roofdieren. Op de open vlakten waren ze tenslotte een makkelijke prooi. Grotere longen en meer spiermassa gaven hem meer snelheid en uithoudingsvermogen. Het paard veranderde zelfs zijn levensstijl. Het at steeds kleine porties omdat een volle maag minder prettig rent en hij vond bescherming in een kudde.

Een miljoen jaar geleden was het paard zoals we dat nu kennen 'af'.
En toen ontmoette hij de mens. Dat was om en nabij zesduizend jaar geleden. Het paard werd gevangen en gebruikt als lastdier, werkdier en rijdier voor dagelijkse arbeid en tijdens oorlogen. In ruil voor zijn noeste arbeid verzorgden wij het dier. Of we aten hem op.

De zorg schoot blijkbaar te kort, want in 1965 bleek het toch nodig een en ander over dierenwelzijn op papier te zetten. In Europees verband werden 'de vijf vrijheden van het dier' opgesteld. Elk dier, ook het paard, moest vrij kunnen zijn van honger, dorst en onjuiste voeding, vrij van fysiek en thermaal ongerief, vrij van pijn, verwonding en ziekte, vrij van angst en chronische stress en vrij om normaal, soorteigen gedragspatronen te kunnen vertonen. Toch bleef welzijn een discussiepunt. Ook de paardensport en paardenhouderij lagen onder vuur. In 2009 heeft de paardenbranche dan ook een nieuwe welzijnsnota bedacht. En wat blijkt? Eigenlijk is het heel simpel. Kijk naar de natuur van het paard en je weet precies wat hij nodig heeft: veel kleine porties eten, vrienden, veel beweging en frisse lucht en uiteraard een goede mentale en lichamelijke gezondheid.

Hieronder staan de vijf pijlers van paardenwelzijn volgens etholoog dr. Machteld van Dierendonck. Het is de taak van de manegehouder dit te waarborgen, maar jij kunt helpen.

1: Juiste voeding en water

Paarden in het wild eten de hele dag door. Daar is hun spijsvertering op ingesteld. Paarden op stal moeten ook veel kleine porties ruwvoer kunnen eten, verspreid over de dag anders krijgen ze last van hun maag. Een bodembedekking zoals stro biedt het paard altijd wat te knabbelen en ook prikkerig, overjarig hooi, mogen ze vrijwel de hele dag door eten. Voor paarden met luchtwegproblemen kan een paar plakjes stro op de dag wonderen doen.

Schoon water is een andere vereiste, maar met een automatische drinkbak hoeft dat geen probleem te zijn.

Wat kun jij doen? Controleer de waterbak voor of na het rijden en haal eventuele viezigheid eruit. Haal ook vieze restjes uit de voerbak.

2: Sociale contacten

Contact met soortgenoten is een levensbehoefte voor paarden. Groepshuisvesting is voor de meeste dan ook ideaal. Als dat niet kan, zijn stallen met open (tussen)wanden een alternatief.

Wetenschappelijk onderzoek heeft inmiddels een verband aangetoond tussen gedragsproblemen en het gebrek aan sociaal contact. Problemen kunnen al vroeg ontstaan. Als een veulen namelijk niet in een groep opgroeit, leert hij de paardentaal niet en kan hij later moeilijker met soortgenoten omgaan.

Jij kunt helpen: geef de paarden regelmatig een uitgebreide poetsbeurt. Dat doen paarden bij elkaar ook. Probeer daarnaast uit te vinden wie de vrienden van je paard zijn en zet ze naast elkaar tijdens het poetsen en zadelen en ga tijdens de les wat vaker naast zijn vrienden rijden, bijvoorbeeld in de pauze.

3: Beweging

Het paard is gebouwd om te bewegen. In de natuur slenteren ze het grootste deel van de dag van grasspriet naar grasspriet en leggen zo algauw tien kilometer af. Spieren, pezen en gewrichten hebben deze beweging nodig om gezond te blijven. Ook de hoeven hebben beweging nodig. De doorbloeding komt namelijk op gang door het neerzetten en optillen van de hoef.

Manegepaarden hebben wat dit betreft een voordeel, want zij bewegen meer en regelmatiger dan veel pensionpaarden. Jouw uurtje rijden verhoogt het welzijn!

4: Geen angst, stress, ziekte en pijn

Laten we realistisch blijven, het is onmogelijk te voorkomen dat het paard wel eens angst of stress voelt. Een bezoek van de dierenarts kan al stressvol zijn. Een tractor is voor sommige paarden eng. Ook ziekte en pijn kun je niet afzweren. Een ongelukkige tik van een ander paard kan al

een pijnlijk been opleveren. Deze welzijnsregel betekent dan ook vooral dat een paardenhouder verplicht is het paard de juiste zorg te bieden en alle mogelijke voorzorgsmaatregelen te treffen.

Let op: angst en stress kunnen ook een symptoom zijn. Als een paard steeds om niets hysterisch reageert of verstijft in zijn stal staat, is er waarschijnlijk iets mis met het (stal)management.

Jouw inbreng? Meld wondjes, drukplekken en gedragsveranderingen van de paarden. De manegehouder kan niet alles in de gaten houden. Sla een les liever af als het paard dat je krijgt toegewezen kreupel of gewond blijkt te zijn.

5: Ruiters

Ruiters zijn volgens dr. Machteld van Dierendonck de vijfde pijler van het paardenwelzijnsplan. Zij spelen een belangrijke rol in het leven van het paard en dat kan zowel positief als negatief uitpakken.

Zo lever jij een positieve bijdrage: volg houding- en zitlessen! Het paard voelt stress als de ruiter zich inconsequent gedraagt, bijvoorbeeld door aan te drijven en gelijktijdig aan de teugels te trekken om in evenwicht te blijven. Als je goed leert zitten, kun je de correcte hulpen geven en misverstanden en stress voorkomen. Maar zorg ook dat je een goede conditie hebt en niet te zwaar bent.

In de omgang heeft consequent handelen evengoed de voorkeur. Verdiep je in de aard van het paard zodat je weet waarom hij zich op een bepaalde manier gedraagt en hoe je daar het beste op kunt reageren.

Wil je het welbehagen van je paard direct verhogen? Kroel hem bij zijn schoft zoals paarden dat ook bij elkaar doen of geef hem een lekkere borstelbeurt! Zo simpel is het.

HOOFDSTUK 2

Beter zitten, beter rijden, beter welzijn,
met de juiste houding

Aan de teugels trekken betekent 'ho'. Maar het kan natuurlijk ook betekenen dat de ruiter nog niet goed kan lichtrijden en de teugels gebruikt om zich op te trekken. Toch betekent het weer 'ho' als jij gaat rijden. Tenzij het paard ineens opzij springt en je bijna je evenwicht verliest, want dan betekent het 'oh help'.

Met been-, teugel-, en zithulpen kun je het paard precies vertellen wat je wil. Maar dan moet je wel je lijf onder controle hebben! En dat valt niet mee. Goed leren zitten, vraagt om wat extra inzet. Het goede nieuws: je moeite wordt rijkelijk beloond. Want een verbeterde houding, verbetert het rijden, verhoogt het zitcomfort en komt zelfs het welzijn van het paard ten goede. Voor hem is het namelijk veel duidelijker en minder stressvol als aan de teugels trekken altijd 'ho' betekent.

Voor je kijken en hakken naar beneden

'Koop een rijbroek met zeemleren zitvlak en maak de rechterbeugel altijd één gaatje korter'. Ik had zo gehoopt met briljante trucs te kunnen komen zodat iedere ruiter, snel en makkelijk lekker zou kunnen zitten. Jammer genoeg blijkt er geen manier te zijn de correcte houding te omzeilen. Er is geen shortcut. Een goede houding begint dan ook met een theoretisch verhaal. Zo ziet de correcte houding eruit, beter gezegd, zo ziet het eruit op papier:

De ruiter kijkt voor zich. Hoofd, hals en rug strekken zich iets naar boven. 'Alsof er een elastiekje aan je hoofd zit'. Aan je bekken, benen en voeten trekt een elastiekje zachtjes naar beneden.

Als je goed zit, kun je een rechte lijn zien van je oor naar je schouder, heup en hak. Op je paard zitten heeft daarmee meer weg van staan.

De schouders zijn recht, iets naar achter en ontspannen. De bovenarm hangt losjes naast het bovenlijf, iets voor de loodlijn van je romp. De onderarm en teugel vormen een rechte lijn naar het bit.

De pols en hand zijn ontspannen en beweegbaar. Niet je vuist, maar de duim voorkomt dat de teugel wegglipt. Een (hardgekookt) kwarteleitje zou tijdens het rijden heel moeten blijven tussen je vingers.
De duim wijst naar boven en de hand staat rechtop.

De rug is recht, maar blijft soepel. Vergelijk het met een blokkentoren. Je kunt de blokjes stapelen of je kunt ze verankeren. In dit geval wil je stapelen. Een te holle of te bolle rug, maakt hem minder bewegelijk en je houding te stijf.

De ruiter zit recht op zijn zitbeenknobbels in het diepste punt van het zadel. Dit lukt vaak wat makkelijker als je je 'gulp dichttrekt'; er loopt een spier als een soort gulp van je schaambeen richting je navel en als je die naar boven 'dichttrekt' zit je keurig recht op je zitbeenknobbels. Die knobbels vind je overigens door even op je handen te gaan zitten.
Let op: je wilt niet je bilspieren en spieren van je bovenbeen aanspannen, want dan kom je omhoog en wordt diep zitten lastig.

'Het been is lang', zo wordt de beenligging vaak omschreven. Dit heeft te maken met dat touwtje dat het been zachtjes naar beneden trekt. Maar het zegt ook iets over de lengte van je beugelriem.
Met een te korte beugel krijg je een houding alsof je op een stoel zit. Je knieën komen te ver omhoog, je been te ver naar voren en je kont schuift naar achter in het zadel. Lichtrijden wordt een probleem en je beenhulpen zullen ook niet doorkomen.
Als de beugel te lang is, sta je in een spreidstand. Ook in dat geval wordt lichtrijden een kunst, omdat je nog nauwelijks uit het zadel kunt komen. Maar de juiste beugellengte hangt ook van het zadel af. Het langere en rechte zweetblad van het dressuurzadel nodigt al snel uit de beugel langer te maken. Als je je been even los laat afhangen, zal de stijgbeugel net

onder je enkel hangen. Met een veelzijdigheidszadel kun je de beugel beter een gaatje korter maken zodat de knie tegen de kniewrong ligt, het dikke deel van het zadel.

Het foefje om de beugel even lang te maken als je arm, van vingertop tot oksel, is een goed begin, maar vraagt vaak nog wel om een aanpassing. Mijn benen zijn bijvoorbeeld twee gaten langer dan mijn arm.

Als je even zonder beugels rijdt, voel je vrij snel of je beugel te lang of te kort is.

De knie wijst naar voren en knie en bovenbeen liggen tegen het zadel zonder te klemmen.

De bal van de voet steunt op de stijgbeugel. Op beide beugels staat evenveel druk. Dit is een lichte druk, genoeg om te voorkomen dat je de beugels kwijtraakt, maar niet zoveel dat ze opzij worden geduwd bij het lichtrijden.

Volgens de boekjes hoor je de hak naar beneden te duwen en de tenen naar binnen te draaien, maar deze regel mag je wat nuanceren. De houding van de voet is ook afhankelijk van de bouw van de ruiter. Sommige mensen zijn nu eenmaal wat O-benig en sommige voeten staan van nature in een V-vorm. Spieren laten het ook niet altijd toe de hiel ver naar beneden te drukken.

Rechtop zitten: de makkelijke versie
Er is geen shortcut om op eenvoudige wijze, de correcte houding te omzeilen. Maar ik heb wel een geweldige truc gevonden om rechtop te leren zitten! Dr. Eric van Breda plakt ruiters in de juiste houding en die truc kun jij ook toepassen. Ga rechtop staan, hoofd omhoog, schouders naar achteren en laat een vriend of vriendin een strook sporttape, horizontaal van de ene schouder naar de andere plakken. Plak daarna nog een verticale strook vanaf je nek halverwege je rug. Wanneer je schouders nu naar voren zakken, of je rug zich kromt, trekt de tape aan je huid en corrigeer je jezelf door weer rechtop te gaan staan of zitten. Je lichaam krijgt steeds een signaal 'rechtop zitten' en leert te reageren.

Hakken en tenen in een onnatuurlijke houding dwingen, roept spanning op en deze spanning staat een goede zit juist in de weg. Laat de teen van een O-been dus gerust een stukje uitsteken. Dwing stijve hakken ook niet naar beneden, maar houd de voet in ieder geval horizontaal. Zo kan de enkel toch de bewegingen opvangen.

Houding- en vormspanning

Tot zover de theorie. Nu de praktijk. Ik zit, terwijl ik dit schrijf, keurig rechtop achter de computer. Dat is toeval. Meestal hang ik ietwat onderuit gezakt achterover of leun ik juist voorovergebogen op mijn bureau. Ik ben vast niet de enige. De hedendaagse zitcultuur verandert ons in zoutzakken en dat maakt paardrijden moeilijker.

Je hebt rompstabiliteit nodig om rechtop op je paard te kunnen zitten en je heupen, armen en benen onafhankelijk van elkaar te bewegen. Die stabiliteit moet uit de rug-, buik- en bekkenspieren komen. Die vormen een soort spierkorset en houden het bovenlijf overeind. Wanneer je rechtop gaat zitten, spannen deze spieren zich automatisch aan. Dit heet houdingsspanning. Normaal gesproken merk je hier niets van. Tenzij je vaak onderuitgezakt zit! Want wie als een zoutzak zit, gebruikt de spieren minder waardoor ze steeds slapper worden. Wil je dan toch weer rechtop

Obstakels

Er zijn een paar dingen die een goede houding en zit, ondanks alle moeite, in de weg kunnen staan.

Als je bijvoorbeeld een hele kromme of holle rug hebt, of als je buik- of rugspieren slapper zijn dan gebruikelijk, zul je hoe dan ook moeite hebben goed te gaan zitten. Dit los je ook niet zomaar op tijdens het rijden. Deze punten kun je beter met een deskundige aanpakken, zoals een cesartherapeut. Daar ga je ongetwijfeld ook op andere momenten voordeel uit halen.

Het zadel kan ook een obstakel vormen. In een te groot zadel ga je schuiven. In een te klein zadel kun je niet diep zitten. De meeste zadels op de manege zijn afgestemd op de gemiddelde ruiter, wie dat ook mag zijn. Ben jij een meer bijzonder type, bekijk dan samen met de instructeur welk zadel het beste past.

zitten, dan zullen de spieren moeite moeten doen. De beste manier om je paardrijden te verbeteren is dan ook om wat vaker rechtop achter je computer te gaan zitten. En je ouders hadden ook gelijk: een bank is er niet om op te hangen of te liggen.

Er bestaat ook zoiets als vormspanning. In dat geval worden spieren zodanig aangespannen dat ze de beweging van sommige gewrichten kunnen blokkeren. Dit is reuze praktisch als je op je handen wilt staan, want het voorkomt dat je door je ellebogen zakt. Tijdens het paardrijden heb je er niets aan. Toch kan het er stiekem insluipen, bijvoorbeeld als ruiters hun handen met gestrekte armen naast het zadel vastzetten in de hoop het paard aan de teugel te krijgen. Het werkt niet. Stel dat het paard zou nageven, dan voel je het met zulke stijve armen niet eens. Echt, ik heb het vroeger allemaal geprobeerd.

Hoe weet je of je de juiste spanning hebt? Dit is een goede stelregel: een beetje spierspanning is noodzakelijk, maar zodra je je spieren bewust moet aanspannen om in een bepaalde houding te komen of te blijven, zit je niet goed en bouw je de verkeerde spanning op.

Ontspanning

Buik-, rug- en bekkenspieren doen hun best, je kijkt keurig recht voor je uit en je tenen draai je vooral heel bewust in een natuurlijke houding. Nu moet je alleen nog ontspannen, want anders beweeg je niet soepel.

De truc is om te blijven ademhalen. Natuurlijk doe je dat, maar er is ook een grote kans dat je regelmatig je adem inhoudt. Je kunt dit op eenvoudige wijze testen: kijk eens in de spiegel na het rijden. Hoe rood of paars is je gezicht? Een paarse kleur heeft weinig te maken met een eventuele aanslag op je uithoudingsvermogen. Zo inspannend is paardrijden niet. Een paars hoofd duidt eerder op stuwing van het bloed naar je hoofd. Door spanning 'druk' je het bloed vanuit de rest van het lichaam als het ware naar je hoofd en omdat het hoofd erg goed doorbloed is, licht je meteen op.
Misschien zat het paard niet fijn en ademde je onregelmatig door het gebonk. Misschien was hij erg gespannen en ademde je oppervlakkig

uit nervositeit. Ironisch genoeg heeft je ademhaling het allemaal erger gemaakt, want door jouw verkeerde ademhaling bouwt de spanning zich verder op bij jou en het paard! En een gespannen paard loopt minder lekker en zit daardoor ook minder lekker.

Fysioloog dr. Eric van Breda heeft het effect van spanning een tijdje geleden laten zien tijdens een demonstratie. Hij vroeg een amazone om vijf voltes om hem heen te draven. Hij vertelde haar dat hij bij de vijfde volte eens flink met zijn jas zou flapperen. Zowel het paard als de amazone kregen een hartslagmeter en vier rondjes lang bleven de ritmes keurig gelijkmatig. In het vijfde rondje gingen beide hartslagen ineens omhoog. Maar er werd helemaal niet met de jas geflapperd!
De clou? De amazone werd gespannen bij het idee van de flapperende jas en het paard pikte dit op. Het publiek zag niets bijzonders. De amazone bleef gewoon rijden. Maar haar ademhaling veranderde en daarmee veranderde haar harstslag. Het paard voelde dit en raakte in de stress.

Probeer dus (nog) bewuster op je ademhaling te letten. Adem in door je neus en uit door je mond en gebruik een buikademhaling. Oefen dit een keer terwijl je op je rug ligt. Leg een hand op je borst en de ander op je buik. Adem in en laat de buik omhoog komen, adem uit en laat de buik zakken.

Er is nog een goede en veel leukere manier om je ademhaling te controleren en ontspannen te blijven zitten: fluit of zing (zachtjes) een liedje tijdens het rijden!

 Tip: een goede houding lijkt verdraaid lastig. Er is zo vreselijk veel om op te letten. Probeer het jezelf wat makkelijker te maken. Pik één, hooguit twee puntjes uit het lijstje die je in de volgende les wilt verbeteren, bijvoorbeeld je beenligging en ademhaling.

Natuurlijk kun je je instructeur vragen je regelmatig op deze twee punten te wijzen. Je kunt ook een vast moment kiezen waarop je jezelf controleert, bijvoorbeeld iedere keer als je voorbij A rijdt. Zodra je bij die letter bent, leg je je been weer op zijn plaats en adem je bewust door je buik.

Oefeningen

Haal je voeten uit je stijgbeugels en leg je benen aan weerszijden voor het zadel, tegen de hals van het paard. Blijf rechtop zitten. Breng nu je neus richting je knieën en kom weer overeind. Het is de kunst om vanuit je bekken te buigen.

De dameszit helpt je rechter te leren zitten. Sla dus eens je rechterbeen over het zadel en zorg ervoor dat je nog steeds op beide zitbeenknobbels zit. Houd dit even vol en wissel dan van been. Er is ook een variant op dit thema: ga even halthouden en in kleermakerszit op het zadel zitten. Dit is een goede balansoefening.

Leer beter voelen door je ogen even dicht te doen tijdens het rijden. Dit keer mag je zelfs even als een zoutzak gaan zitten, zo ontspannen mogelijk dus, zodat je precies voelt hoe het paard beweegt. Probeer een sukkeldrafje en kijk eens of je kunt voelen welk been het paard optilt en neerzet.

Dit is een aardige oefening om te veel spanning te leren herkennen: ga op de grond liggen, maak je zo stijf als een plank en vraag een vriend of vriendin je aan je hoofd op te tillen. Ontspan dan om de beurt de spieren van je pols, je elleboog, je schouder etc.

Verruil de luie stoel of bank zo nu en dan voor de swissbal. Op zo'n bal kun je namelijk niet onderuit zakken zonder er vanaf te vallen.

Een springruiter vertelde me eens dat hij in zijn auto zo vloeiend mogelijk probeert te remmen, schakelen en gas te geven. Het hielp hem zijn beenhulpen verfijnen omdat hij zijn benen bewuster en beter voelde. De man heeft ooit een olympische medaille gewonnen, dus ik denk dat we zijn tip serieus mogen nemen.

Ga thuis voor de spiegel staan en zet je duimen op je heupen zodat je kunt zien of je ze recht houdt. Ga nu goed staan zodat je heupen en schouders een keurige rechthoek vormen. Til je rechtervoet op en buig je knie naar voren. Kijk of je heupen en schouders nog steeds recht zijn en pas je houding zonodig aan. Zet je rechtervoet neer en til je linkerbeen op. Voel de spieren en de moeite die je moet doen om rechtop te blijven staan. Zo voelt het om rechtop te staan.

En nu rijden!

Een correcte zit maakt het makkelijker de bewegingen van het paard te
volgen. Hoewel 'volgen' misschien niet helemaal het juiste woord is. Het
suggereert namelijk dat het paard eerst beweegt en jij daarna in actie komt.
Dan ben je eigenlijk al te laat. Noem het muggenziften, maar je wil niet
volgen. Je wilt meegaan met de beweging van het paard. Jullie bewegen in
hetzelfde ritme. Dat kan alleen als je weet wat, wanneer gebeurt.

In stap bewegen alle vier de benen onafhankelijk van elkaar. Ze worden
om de beurt opgetild en neergezet en er zijn altijd drie benen op de
grond. Dit maakt de stap tot een viertaktgang.

De draf is een tweetakt. De benen bewegen in diagonalen. Linksvoor en
rechtsachter worden gelijktijdig opgetild en neergezet. Er staan steeds
twee benen op de grond.

De galop is een drietaktbeweging en de enige asymmetrische gang; er is een linker- en rechtergalop. De beenzetting van de linkergalop gaat zo: rechter achterbeen, rechter diagonaal (rechtsvoor en linksachter), linker voorbeen, zweefmoment, rechterachterbeen… enzovoorts

Als je correct meezit in de stap bewegen je lendenen van voor naar achter en een beetje van links naar rechts. Je zitbeenknobbels 'lopen' als het ware op de plaats, zonder overigens met de 'voetjes' van de grond te komen. Het hoofd van het paard beweegt in deze gang iets van voor naar achter en jouw handen volgen die beweging.

In draf wordt de ruiter bij elke pas omhoog gegooid en zwaartekracht zorgt ervoor dat je weer in het zadel landt. Aan jou de taak om deze hoogteverschillen zoveel mogelijk te verkleinen door je rug te verkorten en verlengen. Als je omhoog wordt gegooid, buig je je lendenen iets naar voren. Tijdens de landing strek je je rug. Je kunt het ook zo zien: je buikspieren en de spieren in je lendenen spannen bij het omhoog gaan en ontspannen voor een zachte landing. Je bekken kantelt hierdoor steeds een beetje naar voren en weer terug.

Je handen blijven ondertussen keurig op de plaats, want het hoofd van het paard beweegt nauwelijks.

In galop maakt je bekken een looping, een kleine cirkel van voor naar achter. Ook dit gebeurt door het spannen en ontspannen van je buikspieren en spieren in de onderrug.

Je handen bewegen, net als het hoofd van het paard, ook iets van voor naar achteren, iets meer nog dan in de stap.

De bewegingen in stap en galop vormen meestal geen probleem. Draf is lastiger, vooral doorzitten. Veel ruiters vinden het oncomfortabel. Probeer het daarom met kleine stukjes te verbeteren. Maak van stap een overgang naar een sukkeldrafje, blijf een paar passen doorzitten en ga weer in stap of ga lichtrijden. Als je te snel, te lang doorzit, is de kans groot dat je je lichaam spant en dan lukt het echt niet meer. Nogmaals foefjes, zijn er helaas niet. Het blijft een kwestie van oefenen. Maar het ene paard zit wel makkelijker dan het andere, dus begin met die makkelijke. En blijf op dat lastig zittende paard gewoon lichtrijden. Waarom zou je doorzitten als je daarmee jezelf en het paard plaagt?

Lichtrijden wordt na een paar jaar een automatisme. Zit je nog wel recht? Veel ruiters laten het bovenlijf een tikje naar voren komen. Dat rijdt een stuk makkelijker, maar er is ook een grotere kans dat je uit balans raakt. Probeer dus toch echt recht naar boven te komen.

Let er ook op dat je niet verder uit het zadel komt, dan het paard je eruit wipt. Als je meer gaat staan, ben je tegen de tijd dat je landt, te laat voor de volgende beweging.

Over de opmerking 'buitenbeen lichtrijden' verschillen de meningen. Waarschijnlijk heb jij geleerd dat je naar het buitenbeen moet kijken, maar volgens dr. Eric van Breda is dat incorrect. Hij zegt: ,,Bij het lichtrijden kom je uit het zadel als het binnenbeen naar achteren komt. Zo maak je je in bochten lichter voor het paard. Waarom zou je dan naar het buitenbeen kijken? Het is daarnaast in een volte of wending linksom fysiologisch gezien veel gemakkelijker om naar links te kijken dan naar rechts. Wie toch naar rechts kijkt, draait het lichaam meestal op een verkeerde manier wat spanning en tegenwerking veroorzaakt."

Probeer het eens en kijk hoe het voelt.

 Tip: lichtrijden voelt letterlijk lichter voor je paard en is dus een prima beloning! Vertel hem gerust wat vaker dat hij goed zijn best heeft gedaan, door te stoppen met doorzitten.

Bewustzijn in het zadel

Voelen is het laatste belangrijke puzzelstukje voor een goede zit, maar wij zijn vaak met andere dingen bezig; onszelf, onze werkdag, de instructeur, het werk van gisteren, de spiegel, de andere ruiters, mensen die naast de bak staan te kijken en wat zij van ons denken en, oh ja, het paard. Er is nauwelijks tijd voor iets anders.

Voelen dus, hoe doe je dat? Dit gaat klinken als geitenwollensokkenadvies, maar het draait om bewustzijn en rijden 'in het nu'. Je wilt zoveel mogelijk prikkels in je opnemen, zoveel mogelijk voelen en zien wat er op dit moment gebeurt; jij en je paard, verder niets.

Je kunt dit bewustzijn verbeteren met meditatie. Of je kunt je paard poetsen! Voel de borstel in je ene hand, de vacht tegen je andere hand, de bewegingen van de spieren in je arm, je vingers, je benen, ruik de geur van het stro en het paard en zie hoe het paard reageert. Nee, niet stiekem aan je werk denken.

Door bewust te voelen, kun je ook je rijkunstige gevoel verbeteren en leren op het juiste moment, in de juiste dosering en in de juiste combinatie je hulpen te geven.

De houding van het paard

Als de ruiter niet in de juiste houding zit, kan het paard niet fijn lopen. Andersom werkt het net zo. Als het paard niet in de juiste houding loopt, kan de ruiter vaak niet fijn zitten. Maar wat is de juiste houding van het paard? Hij moet 'aan de teugel' lopen, dat weten we meestal wel. Het hoofd moet naar beneden. Het klinkt dan bijna als een kunstje en dat geeft een verkeerd beeld. Aan de teugel lopen is, als het goed is, het resultaat van je training.

Het doel van ons rijden is het paard in zijn natuurlijke bewegingen, zo optimaal mogelijk te laten bewegen. De ruiter zit dit in eerste instantie in de weg. Die verstoort de bewegingen. Het paard loopt van nature namelijk ietwat op de voorhand, hij draagt meer gewicht op zijn voorbenen, en met een ruiter op zijn rug wordt die onbalans groter. Het paard zal dus moeten leren zijn gewicht beter te verdelen over de voor- en achterhand. Hij moeten leren dragen met zijn achterbenen.

Voordat je aan de gewichtsverdeling kunt werken, moet je eerst een ander punt verbeteren: zijn houding. Als een paard een ruiter op zijn rug krijgt, steekt hij zijn neus omhoog, maakt hij zijn rug hol en plaats zijn benen verder uit elkaar. Op deze manier kan hij het gewicht van de ruiter het makkelijkst dragen. Maar als je het paard zo laat lopen, krijgt hij last van zijn rug.
Wij willen dus dat hij zijn achterbenen verder onder de massa brengt en we willen dat hij zijn hoofd en hals laat zakken, zodat de rug boller wordt en ontspant. Dat is beter voor de spieren van het paard. Het is ook beter voor ons, want een holle rug zit heel oncomfortabel.
Dit is in het kort de reden waarom we het paard aan de teugel laten lopen. Het mooie plaatje is bijzaak.

Hoe begin je met aan de teugel leren lopen? Maak eerst contact met de paardenmond. Maak de teugels op maat tot je een klein beetje druk voelt. Neem ongeveer het gewicht van een appel in elke hand.

Nu kun je het paard vragen zijn hoofd en hals te laten buigen door je hand te sluiten en meer gewicht op de teugels te nemen, ongeveer het gewicht van een zak suiker. Op deze manier vormt je hand als het ware een muurtje. Het paard kan twee dingen doen: hij kan er tegenin gaan of hij kan zijn hoofd en hals buigen. Zijn eerste reactie zal zijn om tegen de druk in te gaan. Je kunt het paard aanmoedigen alsnog zijn hoofd en hals te buigen met een beetje meer impuls, een voorwaartse drang. Nageeflijkheid krijg je namelijk niet met je hand, maar met je been. Dat beetje extra gewicht op de teugel, zul je dus moeten aanvullen met een lichte voorwaartse beenhulp. Simpel gezegd: je neemt een zak suiker in elke hand en duwt je kuit tegen de paardenbuik. En dan moet je afwachten.

Het moment dat een paard nageeft, duurt misschien maar een seconde. In die korte tijd ontspant hij zijn hals en kaak en buigt hij zijn hoofd af. Op dat moment moet jij direct je hand ontspannen en stoppen met de extra kuitdruk. Dat wil natuurlijk niet zeggen dat je alles losgooit. Je houdt contact, weer een appel in elke hand, en je kuit heeft de gebruikelijke ondersteunende functie.
Mis het moment niet, anders raakt het paard in de war. Hij deed wat je vroeg en zit nu nog steeds met een muurtje in zijn mond en een kuit tegen zijn buik.

Het is een kwestie van uitproberen waar het paard het beste op reageert. Het ene paard heeft wat meer been nodig, het andere paard steekt juist zijn hoofd in de lucht bij zoveel kuitdruk. Datzelfde geldt voor de druk op je hand. Soms is het een beetje meer, soms een beetje minder. Maar laat je nooit verleiden tot trekken en ook niet tot zagen of flossen, ofwel het bit van links naar rechts door de mond trekken. Dat heeft niets met paardrijden te maken. Het werkt trouwens ook niet, want het paard zet zijn mond op slot en maakt zich sterk.

Een eerste keer kun je het paard misschien het makkelijkst laten nageven tijdens het halthouden, maar persoonlijk vind ik het prettiger om in de stap te beginnen.

Als het paard eenmaal lekker nageeflijk loopt in stap, zul je hem in de draf misschien toch weer moeten overtuigen hoofd en hals te buigen. Mocht het niet lukken, ga dan terug in stap, probeer het opnieuw en maak als dat weer goed gaat een overgang. Geef dan alle aandacht aan die overgang. Denk aan je houding en de juiste beenhulpen in de juiste mate, want met een slechte overgang ben je je nageeflijkheid alweer kwijt.

Dan ben je er nog niet. De volgende stap is aanleuning. Dit is een soepele verbinding tussen de ruiterhand en de paardenmond. Het betekent dat het paard aan de teugel loopt, jij een constant contact hebt met evenveel gewicht op beide handen en het paard netjes de bewegingen van je hand volgt.

Als het paard correct aan de teugel loopt, kun je hem op een manier berijden die voor jullie allebei prettig is. Dit is een goede en gezonde houding voor het behoud van het paard en zijn rug. Met aanleuning kun je het paard dan verder opleiden en gymnastiseren.

 Tip: boek een privéles (of twee, drie) om te leren hoe je een paard aan de teugel kunt laten lopen. Dit leer je niet even. Het kwartje moet rustig kunnen vallen. Je moet desnoods een halfuur in stap kunnen oefenen voor dat ene moment. En in het half uur daarna moet je de juiste begeleiding krijgen zodat je die nageeflijkheid voor het einde van de les nog eens kunt voelen. Een voorwaarde voor deze lessen is natuurlijk wel dat er manegepaarden zijn die geleerd hebben om aan de teugel te lopen.

HOOFDSTUK 3

'Het is jouw taak het paard te verbeteren'
Maar hoe?

Elke manege heeft wel een paard dat iets minder vlot reageert op een beenhulp. Het is één van die typische problemen en zo zijn er meer. Misschien ken je ook het paard dat bij de minste druk van de teugel zijn neus in de lucht steekt of het paard dat het liefst achter zijn voorganger blijft plakken.

,,Een ruiter kan het paard altijd verbeteren. Of verslechteren'', zei trainer en voormalig manegehouder Chris Haazen. ,,Het is jouw taak hem beter te laten lopen en ik verwacht dat je daar je best voor doet.'' Je hebt precies een uur voor deze taak. Het wordt een uitdaging, maar het is haalbaar. De oplossing vind je door de informatie van hoofdstuk 1 en 2 te combineren. Kijk eerst naar het gedrag van het paard en bedenk wat de oorzaak zou kunnen zijn. Los het vervolgens op met de juiste hulpen en een correcte houding en zit.

Het resultaat? Na een uur loopt een sloom paard duidelijk vlotter, komt de hals wat lager en kun je de plakker afwenden. Is dit plan toch iets te ambitieus? Probeer het paard dan in ieder geval niet te verslechteren. De volgende ruiter zal je dankbaar zijn. Het paard trouwens ook.

Traaaag

Noem ze lui of flegmatiek of laten we zeggen dat ze zuinig met hun energie omgaan. Sommige paarden lopen gewoon niet zo hard. Dat is een karaktertrek en geen rijtechnisch probleem. Paarden die heel grote passen maken, lijken trager te lopen, maar houden wel degelijk een goed tempo aan. Het voelt alleen anders dan op het paard dat veel snelle pasjes zet. Het is een kwestie van wennen.

Maar er zijn ook paarden die simpelweg minder vlot reageren op je voorwaartse beenhulpen. Daar zijn verschillende redenen voor. Er is een goede kans dat je paard niet begrijpt wat je van hem vraagt. Te vaak wordt hij aangedreven en tegelijkertijd ingehouden, dus hij weet niet wat je met je beenhulp wilt.

Het paard kan ook doof zijn geworden voor je kuit. Hij incasseert het getik en gepor, omdat hij denkt dat het erbij hoort. Uiteraard zijn er ook dagen waarop de motivatie van het paard gewoon ontbreekt.

Elke beenhulp en elk tikje waar geen reactie op komt, maakt het probleem erger. Heb je niet de moed het slome paard aan te pakken, geef je benen dan in ieder geval zoveel mogelijk rust. Stop met drijven! Om toch voorwaarts te blijven gaan, kun je achter een lekker vlot paard aanrijden. Het blijven kuddedieren, dus jouw paard zal automatisch willen volgen.

Om erger te voorkomen, moet elke beenhulp een respons opleveren. Dat wil niet zeggen dat je grotere hulpen moet geven! Een paard voelt een vlieg op zijn rug landen, dus voelt jouw beendruk heus wel. Hij moet alleen leren wat jij ermee bedoelt. Geef daarom altijd eerst een normale beenhulp. Als hij niet reageert, geef je er een tikje met de zweep achteraan. Ook hiervoor geldt dat een te zacht tikje het doel mist. Maar een te harde tik levert spanning op. Hulpen zijn best lastig, want het is algauw te weinig of te veel. Je zult het moeten afstemmen op dit specifieke paard. Timing is overigens ook belangrijk. Als er te veel tijd tussen de beenhulp en de tik zit, ziet het paard geen verband meer.

Beloon uitvoerig als hij voorwaarts gaat. Overdrijven mag. Zeg vriendelijke woordjes, geef hem een aai over de manenkam of een klopje op de hals. Prijs hem de hemel in en creëer bewust meer van dit soort fijne momenten door het hem extra makkelijk te maken. Oefen bijvoorbeeld het wegstappen na het halthouden, dat lukt meestal wel: 'Knap paard, geweldig gedaan!' Beloning is de meest effectieve manier om het paard duidelijk te maken wat je wilt.

Sleutelen aan je paard; hulpmiddelen

Een martingaal voorkomt dat het paard zijn neus te ver in de lucht steekt. Als het paard dit niet doet, doet de martingaal ook niets. Volgens sommige deskundigen zou elk manegepaard met een martingaal moeten lopen. Zodra het paard zijn neus in de lucht steekt, drukt hij namelijk ook zijn rug weg. Het gevolg: de ruiter kan niet goed meer zitten, bonkt harder op het zadel waardoor het paard meer klappen in zijn rug krijgt en meer reden heeft zijn rug weg te drukken. Een bijzetteugel is ook een hulpmiddel om ervoor te zorgen dat het paard in een gezondere houding loopt en zijn rug beter gebruikt.

Een slofteugel wordt vastgemaakt aan de singel van het paard en loopt tussen de voorbenen door naar het bit en dan naar de hand van de ruiter. Die ruiter heeft dus twee paar teugels in zijn handen. Niets brengt een paard zo gemakkelijk in de juiste houding als een slofteugel, want hij kan weinig anders. Dit hulpmiddel vraagt wel om een deskundige ruiter, anders gaat het paard in de slof hangen en korter en stijver lopen.

Elastieken die van de singel naar het bit lopen zijn ook manieren het paard in de juiste houding te krijgen. De meningen verschillen over de voor- en nadelen. Het paard zou met elastieken juist stugger in de mond worden.

Het paard leert door herhaling. Maak daarom vooral veel overgangen tijdens de les. Geef een beenhulp, direct gevolgd door een tikje als dat nodig is, beloon en herhaal na een paar passen. Wees consequent: geen reactie op een beenhulp betekent een tikje, altijd.

Schijnovergangen zijn ook een aardige oefening voor dit paard. Doe in dat geval alsof je een overgang van draf naar stap maakt, maar rijd op het laatste moment weer weg in een arbeidsdraf. Dit maakt het paard alerter.

Let extra goed op je houding zodat je geen dubbele signalen geeft. Het zou zonde zijn als je het paard voorwaarts wil maken, maar hem onbewust inhoudt. Zo vertaalt het paard het knijpen van jouw bovenbenen al als een ophouding en een gespannen hand maakt wegstappen of aandraven ook moeilijker. Sta dus zoveel mogelijk toe en laat de teugel desnoods even in een boogje hangen. Geef het paard alle kans om voorwaarts te gaan. Pas ook op dat je bij het aantikken met je zweep niet onbewust met die hand aan de teugel trekt. En raak je de kont eigenlijk wel? Je kunt beter de teugels even in één hand nemen als je het paard een tikje geeft.

Probeer jezelf op te peppen want ook met attitude kom je bij dit paard al een heel eind. Je kunt moedeloos zitten of je kunt zitten alsof je barst van energie en opwinding. Probeer dat laatste. Het paard pakt die energie op en jij reageert met een dergelijke houding ook beter. Het gaat om de intentie. Denk bij een overgang van stap naar draf maar eens 'middendraf' als je wegrijdt. Je zult zien dat je de overgang net wat overtuigender maakt.

De plakker

Plakken is erg voordelig. Het paard dat voorop loopt, kijkt uit voor ravijnen en moerassen en als hij niet ineens verdwijnt, kun jij onbezorgd doorlopen. Zo werkt het bij kuddedieren. Het is dus niet zo gek dat een paard liever achter een ander aanloopt. Het wordt alleen een probleem als jij wilt afwenden. Zie hier de uitdaging.

Als je een plakker met je binnenteugel wilt laten afwenden, zal hij alleen

zijn hoofd naar binnen draaien. Ondertussen blijft hij gewoon op de hoefslag lopen. De hele buitenschouder zal dus van de hoefslag moeten komen bij het inzetten van de wending. Gebruik hiervoor beide teugels. Leg je buitenteugel iets tegen de hals en haal de binnenhand ietsje naar binnen voor een betere sturing. Zorg voor een zweepje, houd dat in je buitenhand en tik het paard tijdens de wending op de schouder.

Je kunt de gewoonte verbreken door het paard steeds af te wenden als hij te dicht op zijn voorganger loopt. Je kunt het probleem natuurlijk ook voorkomen. Probeer uit te vinden wanneer je paard het ergst plakt. Misschien moet je op zeven meter afstand blijven, misschien lukt het bij vijf. Hoe vaker je hem netjes kan afwenden, hoe kleiner de afstand zal worden.

Krijg je de hardnekkige plakker echt niet afgewend, rijd hem dan de hoek in, houd halt en rijd weer verder als het andere paard ver genoeg van je vandaan is. Let wel op dat je geen botsingen veroorzaakt.

Hij ziet spoken

Paarden zijn vluchtdieren dus ze rennen eerst weg en kijken daarna hoe eng het is. Dat is hun natuur. Ze hebben een goede reden om te hollen, want het zijn prooidieren. Zij zijn het eten en dat weten ze. In de rijbaan zijn er ook allerlei redenen om te schrikken. Misschien klonk er een hard geluid of renden er ineens kinderen door de gang. Een paard dat gespannen is, schrikt eerder. Maar ook uit vrolijkheid of frisheid kan het paard een gelegenheid zoeken om te spetteren en even opzij te springen. Het paard schrikt in ieder geval niet om jou een hak te zetten.

Jouw reactie bepaalt of schrikken voor herhaling vatbaar is. Veel ruiters geven het paard klopjes op de hals en noemen het paard 'braaf'. Ze denken dat ze het paard geruststellen, maar het paard denkt dat hij beloond wordt. Braaf en klopjes betekenen alle andere keren namelijk 'goed gedaan, ga zo door'. En dus gaat hij door met zijn gekke gedoe.

Was hij voor het schrikken stevig aan het werk en mag hij nu stappen, dan geef je hem ook een goede reden voor een extra huppeltje. Een pauze is dat huppeltje wel waard.

Straffen werkt ook niet. Je geeft het paard juist nog iets om bang voor te zijn: jou!

Kalm blijven en doen alsof er niets aan de hand is. Dat is beste manier om met 'enge dingen' om te gaan. Zet je niet schrap en ga ook niet anders rijden. Springt het paard opzij of rent hij weg, probeer dan niet in zijn mond te trekken, want dat levert een tweede schrikreactie op. Bekijk het liever van de positieve kant. Hij is lekker vlot, maak daar gebruik van. Misschien is dit het moment om die uitgestrekte draf te oefenen, weg van het 'gevaar'.

Als het spook in een bepaalde hoek lijkt te zitten, ga die dan uit de weg. Dwang maakt de boel alleen erger. Zet het paard gewoon aan de andere kant van de rijbaan aan het werk en vraag zijn aandacht door een paar overgangen te rijden. Dat is meteen een goede manier om hem weer scherp aan je been te zetten. Schrikreacties zoals stoppen en overdwars over de hoefslag lopen met of zonder gekke huppeltjes, los je op door voorwaarts te rijden.

Als de rust is teruggekeerd en je paard goed reageert op je been, kun je wat dichter naar de horrorhoek toe rijden. Doe nog steeds alsof er niets aan de hand is.

Sommige ruiters houden de enge hoek nauwlettend in de gaten, maar dat helpt echt niet. Concentreer je liever op je paard.

Gedraag je als de leider. Paarden houden van een zelfverzekerde aanvoerder. Je kunt ook even achter een andere combinatie aan rijden die wel braaf voorbij de hoek rijdt. In dat geval fungeert het andere paard als de leider.

 Tip: gaat het paard echt aan de haal, zet hem dan op een volte en probeer die kleiner te maken. De kans is groot dat hij vanzelf terugkomt naar een normaal en handelbaar tempo. Rijd hem in het ergste geval in een dichte hoek, tegen een muur. Rijd een paard nooit tegen een half hoge muur op, want in paniek kan hij een noodsprong maken.

'Hij trekt aan de linkerteugel'

De rechterteugel hangt er slapjes bij en aan de linkerteugel lijkt een stevige tien kilo te hangen; het paard zit links vast. Dat betekent dat hij ietwat scheef is. Het schijnt dat paarden een voorkeur hebben voor links of rechtsom en als de ruiter niet oplet, ontwikkelen de spieren zich ongelijk. Dat is bij dit paard het geval. Hij buigt minder goed door zijn lijf. De linkerkant blijft steeds iets boller en de rechter iets holler. Daarom loopt een paard dat links vastpakt, rechtsom lekkerder.

Elk paard moet leren het gewicht van de ruiter te dragen. Dat valt nog niet mee, want dit gewicht beweegt. Als het hem niet goed wordt aangeleerd, gaat het paard zijn ruiter diagonaal dragen. Dat doe je zelf bijvoorbeeld ook als je een zware zak tuinaarde met beide handen vasthoudt en over je linkerschouder legt. Je drukt je linkerschouder en -heup naar voren waardoor je linkerkant bol wordt en je rechterkant hol. Zo loopt het paard ongeveer als hij links vastzit. Het linkerbeen zet hij verder naar binnen onder zijn lijf en het rechterbeen komt iets buiten de massa. Houd hij dit langere tijd vol, dan doet het zelfs een beetje zeer om nog de andere kant op te buigen, want dit rekt de korter geworden spieren aan de rechterkant op. Als je dit paard linksom gaat buigen, voelt hij wat jij voelt als je met je handen de grond probeert aan te raken.

De eerste stap naar verbetering klinkt ergerlijk eenvoudig: stop met terugtrekken, want het paard kan nu eenmaal niet aan de linkerteugel trekken als jij die loslaat. Hierna heb je weliswaar minder gewicht op de linkerteugel, maar dat lost het probleem niet op. Je zult ook meer contact moeten zien te krijgen met de rechterteugel. Je moet het paard recht maken.

Rechtrichten begint met recht zitten. Controleer of je evenveel druk voelt op beide zitbeenknobbels, of je borstbeen recht naar de manenkam wijst en of jij recht voor je uit kijkt. Ga even halthouden, maak je teugels even lang en neem op beide teugels evenveel druk. Wat je te veel hebt op links, wil je aanvullen op rechts. Blijf steeds goed voelen met beide teugels. Een recht paard drijf je met beide benen evenveel voorwaarts. Nu niet. Als je een paard dat links vastzit, te veel aandrijft met je

Voel jij wat ik voel?
Paarden en mensen zijn ongeveer even gevoelig. De huid van het paard is het grootste orgaan, bezaaid met gevoelszenuwen.
Het paard kan een vlieg op zijn huid voelen landen dus wacht even voordat je naar sporen of een zweep grijpt. Hij voelt die kuit heus wel, maar misschien begrijpt hij niet wat je ermee bedoelt.

linkerbeen, wordt hij juist zwaarder. Drijf dit paard dus voornamelijk met je rechterbeen voorwaarts.

Op een paard dat iets scheef loopt, gaat een ruiter iets scheef zitten. Je houding en zit vragen op dit paard dus extra aandacht. Net als het paard dat zijn ene kant vaster houdt, zet de ruiter ook al snel zijn been, hand en schouder vast.

Afsnijden

Sommige paarden maken van elke korte zijde een halve, grote volte en raken zelden de hoefslag als je een slangevolte rijdt. Ze lopen niet zomaar de kantjes ervan af, ze vallen naar binnen. Waarom? Waarschijnlijk loopt ook dit paard ietwat scheef.

De oplossing zit in eerste instantie in jouw houding. Als een paard naar binnen valt, 'gooit' hij jou ook naar binnen. Door zijn manier van lopen, ga jij automatisch een beetje scheef zitten, waardoor afsnijden nog gemakkelijker voor hem wordt. Probeer dus recht boven je paard te blijven. Dit voelt in een wending waarschijnlijk alsof je overdreven naar buiten leunt.
Probeer ook op beide teugels evenveel gewicht te houden. Zelfs als het paard daardoor iets naar buiten kijkt. Met de binnenteugel kun je dit paard niet naar buiten sturen. Met de buitenteugel lukt dit trouwens ook niet. Probeer in plaats daarvan, net als bij de plakker, de hele schouder mee naar buiten te nemen. Neem in dit geval je zweepje in je binnenhand.

Probeer met dit paard eens wat vaker op de binnenhoefslag te rijden. Omdat hij geen steun heeft van de bakrand voel je nog beter of hij recht loopt. Het zou helemaal mooi zijn als je op een spiegel kunt afrijden, zodat je kunt controleren of de achterbenen in hetzelfde spoor blijven als de voorbenen.

Voorwaarts rijden is goed voor van alles en nog wat en ook bij het rechtrichten van je paard. Met behulp van overgangen kun je het paard lekker vlot maken op je been. Heb je meer gewicht op je linkerteugel, houd hem dan voorwaarts met je rechterbeen. Je drijft het paard namelijk naar je hand toe. Je moedigt hem aan het bit (meer) aan te nemen en het laatste wat je wilt is dat hij de linkerkant van het bit nog meer aanneemt.

In staking

Als het paard steeds met zijn staart zwiept, zijn oren plat in zijn nek legt, stopt, omdraait, bokt of naar je been slaat, wil hij duidelijk maken dat hij het er niet mee eens is. In de meeste gevallen heeft het paard pijn. Dat kan een lichamelijk probleem zijn of een drukkend zadel.

Als het paard staakt, kun je de situatie nauwelijks verergeren. Helaas, kun je ook weinig verbeteren. Dit paard moet eerst worden nagekeken door een dierenarts om een lichamelijk probleem uit te sluiten. Als de arts niets vindt, moeten de tandarts en zadelmaker komen. Pas daarna kun je aan rijtechnische oplossingen denken.

Het vraagt wat tact, voorzichtigheid, moed en een stevig suikerlaagje, maar probeer het probleem bespreekbaar te maken met de manegehouder. Vraag voor nu in ieder geval vriendelijk om een ander paard. Je betaalt om een uur prettig te kunnen rijden en dat gaat op dit paard niet lukken. Heel doortastende types vragen bij de volgende les of de dierenarts het probleem van het stakende paard heeft gevonden.

Met zijn neus in de lucht

Sommige paarden steken hun neus in de lucht zodra je de teugels aanneemt. Daardoor drukken ze automatisch ook hun rug weg, zodat die hol wordt. Het gevolg: jij kunt niet prettig zitten en zult ongewild harder op de rug neerkomen, het paard krijgt hier last van en dat geeft hem weer een reden zijn rug weg te drukken. Het is een vicieuze cirkel. De kans is groot dat dit probleem ooit is begonnen met een ruiter die te hard in het zadel bonkte.

Is er een ideeëndoos op de manege? Stel eens voor dit paard met een martingaal te rijden. Dit hulpmiddel voorkomt dat het paard zijn neus te ver omhoog steekt. 'Beste manegehouder, dit ding komt het behoud van het paard ten goede.'

Zonder martingaal los je dit probleem moeilijk op, maar je kunt het allicht proberen. Begin in dat geval in stap, want in die gang heb je de meeste controle. Neem de teugels voorzichtig aan en probeer uit te vinden waar het paard wel en niet op reageert. Het doel is om het paard zijn kaak te laten ontspannen en hoofd en hals te laten zakken. Neem een beetje gewicht op de teugels en ondersteun dit met je kuit. Maar let op, te veel beenhulp kan een reden voor het paard zijn het hoofd omhoog te steken!

Maak veel overgangen, te beginnen van halthouden naar stap. Hiermee wordt het paard vlotter voor je been en krijg je een beter contact met de mond. Dit contact heb je nodig als je het paard wil vragen zijn hoofd en hals te laten zakken.

Om de rug te ontzien kun je op dit paard beter blijven lichtrijden. Ook in galop zou een verlichte zit prettiger voor hem zijn.

Probeer de verleiding te weerstaan om terug te trekken. Dwang helpt hoe dan ook niet.

Hij hangt

Voor het oog ziet het er misschien oké uit, maar als je afstapt heb je pijnlijke armen. Een uur lang hing het paard op je handen. En jij hebt je best gedaan hem op te tillen.

Een paard dat zwaar op de hand voelt, loopt waarschijnlijk te veel op de voorhand. Dat is niet zo vreemd. Het gewicht van het paard, ligt van nature nu eenmaal meer op de voorhand, op zijn voorbenen. Het is de

taak van de ruiter dit gewicht eerst netjes te verdelen en, naar mate het niveau vordert, meer gewicht op de achterhand te krijgen.

De kunst is om een hangend paard met zachte hand te rijden. Dit kun je oefenen tijdens overgangen. Ga bijvoorbeeld van draf naar stap, maar neem alle tijd. Ga ontspannen zitten en maak een heel lichte ophouding. Let erop dat je je hand ontspant en niet vastzet. Je wilt het paard leren dat hij ook zonder trekken terug kan komen. Gebruik dus ook gerust je stem voor extra hulp. Een laag en lang 'ho' lijkt cliché, maar is vrij universeel in deze gevallen.

Het kan best een heel rondje duren voordat je het paard op deze manier in stap krijgt en dat is prima. Beloon hem uitbundig als het is gelukt. En probeer het dan nog eens.

Schijnovergangen zijn ook een goede oefening, zolang je het maar met zachte hand doet.

Terugtrekken of het hoofd proberen op te tillen maakt het paard juist 'sterker', want hij zal zijn gewicht in de strijd gooien.

Problemen met gangen
Ook die kunnen beter

Dribbelen

Jij wilt stappen, maar het paard doet iets dat tussen draf en stap inzit. Hij dribbelt. Hij maakt heel veel kleine pasjes. Waarom? Misschien is het paard wat gespannen of misschien is hij opgewonden en heeft hij er juist veel zin in.

Hoe moet je hierop reageren? ,,Lekker laten dribbelen", zegt trainer Wim Bonhof laconiek. ,,Het paard is zichzelf op een geweldige manier aan het loswerken, want hij gebruikt zijn hele lijf. Ga ontspannen zitten en houd hem met een zachte hand tegen zodat hij niet stiekem steeds harder gaat. Geen zorgen, als jij ontspannen blijft, gaat hij vanzelf in een normale stap over." Inhouden heeft geen zin, want daarmee voer je de eventuele spanning verder op.

Veel te hard

Een paard dat veel te hard draaft of galoppeert, loopt meestal te veel op zijn voorhand, net als het paard dat hangt. Maar vaak heeft het te harde tempo ook te maken met te grote hulpen van de ruiters, zoals te veel kuitdruk bij overgangen. Misschien geef je het paard daarnaast ook onbedoeld en onbewust signalen om voorwaarts te gaan. Wanneer je bijvoorbeeld voorover gaat zitten, wat veel ruiters doen als het paard te hard gaat, nodig je hem uit (nog) harder te lopen.

Jawel, ook nu verbeter je het paard door overgangen te rijden. Dit keer is het de uitdaging zo rustig mogelijk aan te draven of te galopperen. Die eerste pas is belangrijk. Het paard moet netjes wachten op je hulp en jij moet proberen een zo kalm mogelijke overgang te maken. Zodra het paard het tempo overneemt, ga je terug naar stap of draf, want hoe langer het paard te hard doorloopt, hoe moeilijker het wordt hem terug te nemen.

Herhaal, beloon en wees consequent. Denk 'kleine pasjes' als je wegrijdt en maak liever te vaak dan te weinig een overgang terug naar een gang in een lager tempo. Mocht het paard oncontroleerbaar hard gaan, zet hem dan op een volte en maak de cirkel steeds kleiner.

Hij wil niet in galop

Een paard dat niet in galop gaat, begrijpt de hulpen niet, is moe of heeft pijn in zijn lijf. Hij doet het in ieder geval niet om jou te stangen. Echt niet.

Je kunt heel hard blijven draven in de hoop dat het paard alsnog in de galop valt, en die kans is er, maar realiseer je dan wel dat dit niets met aangalopperen te maken heeft. Je kunt hem in plaats daarvan natuurlijk ook leren hoe het wel moet.

Het paard mag best drie of vier pasjes wat harder draven voordat hij in galop aanspringt, maar niet veel meer. Is hij na vier passen nog niet in galop, neem hem dan terug tot een arbeidstempo en probeer het nog een keer. Zelfs als hij na vijf pogingen niet aanspringt, is het beter het paard terug te nemen. Hij moet leren wat je wel en niet wil.

Probeer het zo eens: neem je zweep in de buitenhand, geef nogmaals de correcte hulpen en geef het paard, zodra hij niet reageert, een tikje met de zweep op zijn kont.

De meeste paarden springen makkelijker aan in een hoek of wending. Hij kan zelfs een voorkeur hebben voor een specifieke hoek. Probeer dat eens uit te vinden. Lukt het beter direct na A of als je een volte inzet bij B? Als je het hem makkelijk maakt, heb je straks een goede reden het paard te belonen voor zijn geweldige actie en dat motiveert. Zodra hij weet wat je wil, kun je op andere plekken aangalopperen.
Het helpt vaak ook om eerst een grote volte te openen en te sluiten en dan een meter voor de hoefslag de overgang naar de galop te maken.
Uiteraard kun je ook gebruik maken van het kuddegedrag en je paard achter een ander zetten die al galoppeert of waarvan je weet dat hij vlot aanspringt. Beloon!

De overgang naar galop gaat vaak mis omdat de ruiter te grote hulpen geeft, te veel beweegt en te hard knijpt met zijn benen. Daardoor begrijpt het paard het niet meer. Blijf rustig zitten en geef een kleine, correcte hulp. Ondersteun dit met je zweepje.

De verkeerde galop

Als een paard steeds in de verkeerde galop aanspringt, is de kans groot dat hij scheef loopt en vastzit aan één kant. Een paard dat links vastzit, zal rechtsom vaker verkeerd aanspringen.

'Binnenbeen op de singel, buitenbeen achter de singel en aandrijven met beide benen', dat zijn de gebruikelijke hulpen voor de galop. Als je paard steeds verkeerd aanspringt, mag je het op een andere manier proberen: leg je binnenbeen op de singel en je buitenbeen iets achter de singel, maar drijf alleen aan met je buitenbeen. Probeer de hand waar de meeste druk op staat te ontspannen. Probeer zelf iets meer op je buitenste zitbeenknobbel te gaan zitten.

Veel ruiters nemen het paard meteen terug als het paard verkeerd galoppeert en proberen direct opnieuw aan te springen. Dat maakt de situatie chaotisch en daardoor wordt de kans op een goede galop juist kleiner. Blijf dus kalm. Er is niets dramatisch aan een verkeerde galop, sterker nog, in M-proeven moet het paard bewust rechtsom in de linkergalop, alleen noem je het dan contragalop.
Neem gerust de tijd om het paard terug te nemen in draf, blijf even rustig draven en spring op het juiste moment opnieuw aan.

Als de rechtergalop echt niet lukt vandaag, kun je beter iets anders gaan doen. Blijf je er niet op focussen. Op de andere hand gaat het vast beter. En als hij straks inderdaad goed galoppeert op de makkelijke kant, werk je de minder goede kant ook automatisch los!

Overkruist in galop

De voorbenen lopen in de rechtergalop en de achterbenen in de linker. Het kan. Het paard galoppeert in dat geval overkruist. Jij voelt dat direct, want het zit nogal oncomfortabel. Voor het paard is een overkruiste galop net zo vervelend. Juist daarom hoef je je geen zorgen te maken om dit probleem. Het paard springt vanzelf over. Blijf gewoon galopperen en je zult zien dat het paard zichzelf corrigeert. Je kunt het hem makkelijker maken door een volte in te zetten.

Lekkerrr

Net als mensen hebben ook paarden vier smaakpapillen. Maar het is nog niet onderzocht hoe ze op verschillende smaken reageren. Het is wel bekend dat ze het liefst verschillende spijzen tegelijkertijd eten. Het is ook bekend dat ze een persoonlijke voorkeur hebben. Het ene paard vindt het appeltje duidelijk lekkerder dan de wortel.

Een paard kan dingen leren eten die niet in zijn natuurlijke voedselpatroon voorkomen, zoals suikerklontjes en bananen.
Smaak bepaalt voor paarden in het wild of iets eetbaar is. Dit systeem is wel wat onbetrouwbaar, want vreemde planten die ze niet in de natuur tegenkomen, eten ze vaak gewoon op als ze die voorgeschoteld krijgen.

Is je paard wat stug in de mond, ofwel iets harder of minder fijngevoelig? Geef hem net voor het rijden iets lekkers. Terwijl hij op het stukje appel knabbelt, ontspannen de kaken en zal hij ontvankelijker zijn voor je teugelhulpen. Hij wordt letterlijk wat smakelijker in de mond.

De houding en zit van de ruiter is vaak de reden voor een overkruiste galop, vooral als de ruiter iets naar binnen hangt in de wending. Blijf dus recht boven je paard zitten.

Problemen met oefeningen
Zo los je ze op

Wijken wil niet

Voor soepele paarden is wijken een gehoorzaamheidsoefening. Zij kunnen best voorwaarts en zijwaarts lopen. Als deze oefening niet lukt, luisteren ze in overgangen waarschijnlijk ook onvoldoende op je kuit.
Voor een compacter en iets stugger paard is wijken een gymnastische oefening. Hem zul je misschien moeten overtuigen aan het werk te gaan.

Begin in een langzamer tempo. Begin in stap en sluit het paard een beetje meer op. Je hoeft hem niet zozeer langzamer te laten lopen, maar wel een beetje vlijtiger. Activeer hem met je been en houd hem aan de voorkant zachtjes tegen.

Smokkel een beetje. Als je moet wijken vanaf de A–C-lijn, kun je iets na A of C afwenden. Zo blijft er een kleiner stukje over en kun je gebruik maken van de neiging van het paard om naar de hoefslag te willen lopen. Je moet hem natuurlijk wel goed rechthouden, anders valt hij over zijn schouder weg. Blijf die buitenkant dus begrenzen met je been.
Je kunt zelfs een meter van de hoefslag nog afwenden en wijken. Maak liever een paar goede passen in plaats van een hoop slechte, zodat het paard leert wat hij moet doen.

Maak een nette wending. Kom je de bocht doorgezeild, dan is het logisch dat je paard over zijn buitenschouder naar de hoefslag valt. Wend af, rijd eerst een paar passen rechtuit en zet dan het wijken in.
Mocht het paard alsnog over de schouder wegvallen, rijd dan weer een paar passen vooruit en zet het wijken opnieuw in.

Je kunt deze oefening ook doen op een volte. Maak de cirkel eerst kleiner en dan groter. Bij het groter maken, duw je het paard met je binnenbeen naar buiten, net als bij het wijken.
Je kunt ook van de hoefslag naar het midden wijken. Dit is iets moeilijker, maak levert vaak wel nettere passen op. De kans dat het paard over de schouder wegvalt, is namelijk kleiner.

Stop met wijken als het paard een paar goede passen heeft gemaakt en beloon hem uitvoerig. Hij onthoudt die laatste passen namelijk het best.

Stop dan!

Halthouden is eigenlijk best lastig, want je hebt rust nodig en dat kun je niet afdwingen.
Aan de teugels trekken, een gespannen houding of even verzitten, geven het paard een reden weer weg te stappen. Rustig halthouden begint dan ook met rustig zitten.

De meeste paarden zijn gewend de les te beginnen en te eindigen op de middellijn. Daar staan ze stil bij het op- en afstappen. Maak daar gebruik van en oefen het halthouden hier het eerst. Beloon je paard en stap weer weg. Probeer het daarna een meter of drie voor of na de middellijn en bouw het zo verder uit.

In de hoek halthouden werkt vaak ook goed.

Er is een moment waarop vrijwel ieder paard rustig stilstaat. Dat is het moment waarop de ruiter met iemand zit te kletsen! En ook dat is een prima oefening. Halthouden is halthouden. Klets met de instructeur of een vriend naast de bak en beloon je paard voor het keurige stilstaan.

HOOFDSTUK 4

Verrassing!
We gaan dressuur rijden

In de meeste lessen krijg je voldoende vrijheid om zelf overgangen, figuren en oefeningen te rijden, maar doe je dat ook? Ik niet. Ik vergeet die figuren vaak en rijd voornamelijk rondjes over de hoefslag. Daar heb ik het al druk genoeg mee. Eenmaal in galop, maak ik ook zelden voor de lol even een overgang naar draf. Ik ben allang blij dat het aanspringen die ene keer goed lukte.

Manegepaarden lopen, door ruiters zoals ik, veel rondjes in hun leven. Een beetje afwisseling is dus best welkom. Maar hoe verras je je paard tijdens de dressuurles terwijl hij alles al honderd keer heeft gedaan?

Dat is best makkelijk, want het paard is een gewoontedier. Je haalt hem uit de sleur door simpelweg zijn gewoonte te doorbreken. Kom van de hoefslag! Rijd eens geen rondjes, maar rijd dressuur, want overgangen, figuren en oefeningen komen dan vanzelf aan bod.

Spelen met blokjes

Tja, en eenmaal van de hoefslag rijst de vraag: wat moet ik in vredesnaam doen? Hoe bouw je het uur logisch op? De warming-up en cooling-down zijn duidelijk. Je stapt gewoon een paar minuten met een lang teugeltje. Maar wat doe je de rest van de tijd? Mijn voorstel: speel eens een uurtje met blokjes!

„Vergelijk het trainen van je paard met het stapelen van een blokkentoren", zegt Marion Schreuder, instructeur van de Nederlandse Hippische Beroepsopleidingen (NHB) in Deurne. „Elk blokje vertegenwoordigt een onderdeel van de training en terwijl jij die in een logische volgorde stapelt, verbeter je het paard steeds een beetje meer." Ze adviseert jou de volgende blokjes te gebruiken: houding en zit, tempowisselingen, overgangen, het verfijnen van de hulpen, stelling, buiging, wijken, schoudervoorwaarts en schouderbinnenwaarts.

Je begint met het eerste blokje, houding en zit, en als dat goed gaat, als dat blokje stevig staat, pak je het volgende erbij, tempowisselingen dus. Nu heb je twee dingen om aan te werken. Schreuder zegt: ,,Als de toren wiebelt of dreigt om te vallen, haal je alles weg tot je weer bij een blokje komt dat wel stevig staat. En dan begin je opnieuw met stapelen.''

Een voorbeeld: stel dat het wijken niet lukt. Je houding en zit zijn de basis, dus daar grijp je eerst naar terug. Je laat het wijken even voor wat het is en controleert of je recht zit en of je evenveel gewicht hebt op beide teugels. Daarna rijd je een pasje voorwaarts, het tweede onderdeel, en misschien vind je het euvel hier al. Misschien reageert het paard onvoldoende op je beenhulp en in dat geval wordt wijken voor je been inderdaad lastig. Nu je het probleem hebt gevonden kun je door middel van tempowisselingen en daarna overgangen (het derde blokje) je paard weer even wat scherper aan je been zetten. Je verfijnt je beenhulpen, pikt nog even een stukje stelling en buiging mee en zet dan het wijken opnieuw in.
Zo bouw je een stevige toren. En zo heb je meer dan voldoende stof om een uur te vullen.

De fundering: houding en zit

Houding en zit is niet zomaar een blokje. Het vormt een heuse fundering, want de meeste missers ontstaan doordat de ruiter onduidelijke signalen geeft met zijn hulpen, houding en zit. Als iets niet lukt, is er meestal sprake van miscommunicatie. Je benen, handen en zit kramen onzin uit en het paard begrijpt het niet meer.

Pak je houding meteen aan tijdens de warming up. Elke uur begint met een paar minuten losstappen aan de lange teugel. De meeste ruiters zitten dan te wachten tot de les begint. Waarom zou je niet meteen van start gaan? Neem de volgende keer deze tijd dus alvast om je houding en zit goed na te lopen, van hoofd tot hakken. Zit je recht op beide zitbeenknobbels, kijk je netjes voor je, zijn je schouders ontspannen en adem je rustig?

Is er iets aan je houding wat je wilt verbeteren? Misschien stond er een kanttekening op je laatste protocol of kreeg je vorige week wat vaker een opmerking van je instructeur. Of misschien wil je wat puntjes op de i zetten. Stel een doel. Pik er één ding uit waar je dit uur extra aandacht aan wilt geven. Je kunt er bijvoorbeeld op letten dat je handen rechtop blijven of dat je knie niet knijpt. Om te zorgen dat je je goede voornemen niet vergeet, kun je een moment uitkiezen waarop je je hand en knie weer even controleert. Doe dit bijvoorbeeld iedere keer als je voorbij A rijdt.

Een beetje harder of zachter

Het tweede blokje bestaat uit overgangen rijden. Hiermee maak je het paard beter voorwaarts, zet je hem scherper aan je been en zorg je ervoor dat hij zijn aandacht erbij houdt. Door van stap naar draf over te gaan controleer je dus eigenlijk de gehoorzaamheid van het paard.

Maar je kunt alleen een goede overgang rijden als het paard al enigszins voorwaarts en gehoorzaam is. Er komt dus nog een onderdeel voor. Toets het paard eerst aan de hand van tempowisselingen. Dat kun je al tegen het einde van je warming-up doen, zodra je de teugels hebt opgepakt. Stap eens een paar passen vlotter, neem het paard daarna terug tot hij heel langzaam stapt en rijd weer voorwaarts in een actief basistempo.

Zodra het paard vlot reageert op je voorwaartse hulpen en zonder trekken of hangen terugkomt op je teugelhulpen, kun je een 'echte' overgang maken. Zo ziet dat eruit: in een voorwaartse overgang stapt, draaft of galoppeert het paard vlot en actief weg. In een overgang naar een lager tempo blijft hij met impuls lopen, met een voorwaartse drang dus. Dit gaat niet vanzelf. Dat blijkt wel, want vaak zie je paarden bijna struikelend in een hoger tempo overgaan of met een plof terugkomen, alsof de motor halverwege is afgeslagen. Neem hier geen genoegen mee. Dit is geen overgang.

Maak je ook niet te veel zorgen. Nu je eerst je tempowisselingen hebt geoefend, neemt de slagingskans van je overgangen toe. Je geeft namelijk exact dezelfde hulpen, maar dan iets groter. Bij een overgang naar een hoger tempo, bijvoorbeeld van stap naar draf, helpt het om 'middendraf' te denken bij het wegrijden. Onbewust rijd je zo net wat energieker

Rondjes draaien

Nog wat aanwijzingen voor wendingen

De hoek van de rijbaan wordt op lager niveau gezien en gereden als een vierde deel van een volte van twintig meter. Op hoger niveau wordt hier een kwart volte van tien meter doorsnee gevraagd en op het hoogste niveau rijd je nog verder de hoek in tot er alleen een partje van een volte van zes meter overblijft.

Eindelijk heb je de perfect ronde volte gereden. Maar lukt dat ook een tweede keer? En hoe controleer je dat? Een coach van internationale ponyruiters gaf me de volgende tip: tel de passen op de volte. Als je het aantal passen van de perfecte volte weet, kun je al je volgende voltes aan de hand van de cijfers controleren.

Wanneer moet je afwenden als je van hand verandert bij F, M, H of K? Als de schouder van het paard bij de letter is. Je binnenbeen en buitenteugel voorkomen dat het paard te vroeg afwendt.

Wanneer je het paard van de linker- naar de rechterbuiging omstelt (of andersom), bijvoorbeeld als je een S-figuur oefent, rijd je eerst een paardenlengte rechtuit en stel je daarna je paard om naar de andere kant. Je wilt het paard eerst duidelijk rechtrichten.

Je kunt een volte eenvoudig verzwaren door het te verkleinen. Het binnenachterbeen van het paard zal dan nog meer zijn best moeten doen. Het is nog best lastig om zo een constant tempo aan te houden, zeker als je meerdere voltes achter elkaar rijdt.

en dat pakt het paard op. Voor een overgang naar een lager tempo geldt: neem gerust de tijd. Smeer het over meters uit. Breng het tempo eerst terug, maar houd het paard wel actief. Ga nog wat langzamer, nog steeds actief, en probeer dan, als het paard ontspannen en alert voelt, de overgang door te zetten. Blijf rijden zodat ook de volgende gang direct een actief tempo heeft.

Hoe weet je nu of je een correcte overgang hebt gemaakt? Dat kun je voelen. Het paard mag bijvoorbeeld niet aan de teugels trekken of zijn hoofd omhoog brengen. Doet hij dit wel, dan waren je hulpen waarschijnlijk te groot of heb je toch nog iets te weinig controle. Rijd eerst weer een paar tempowisselingen en probeer dan nog eens een overgang te maken.

Marion Schreuder omschrijft een goede overgang als volgt: ,,Als je doorzit en bijvoorbeeld een overgang van draf naar stap maakt, wil je dat je broek gevuld blijft." Ik vond dat ook ietwat vreemd klinken, maar ze kan het uitleggen. ,,Het paard moet in de overgang met de achterbenen naar voren, richting de voorbenen stuwen. Hij moet de achterbenen eronder brengen en de rug omhoog laten komen. Als hij dat doet, blijft het zadel tegen je zitvlak drukken. Je broek blijft dus gevuld. Bij een slechte overgang van draf naar stap krijg je een hobbelend gevoel en er komt heel even wat lucht tussen je zitvlak en het zadel. Dat wil je dus niet."

Zin in een uitdaging? Begin met overgangen tussen opvolgende gangen; van stap naar draf of van draf naar galop en op die zelfde manier terug. Je kunt de lat een stukje hoger leggen door een gang over te slaan. Ga bijvoorbeeld eens van stap meteen in galop over.

Stel ook nu een doel voor jezelf. Zeg bijvoorbeeld dat je dit uur twee goede overgangen wilt maken. Volgende week probeer je er dan vier te maken waarvan eentje exact bij de letter.

 Tip: stel dat je zo meteen wilt aangalopperen. Laat het paard dan op de lange zijde daarvoor al even een pasje verruimen om te controleren of hij voldoende op je beenhulp reageert. Je kunt ook je gewicht iets naar buiten brengen en iets meer op je buitenste zitbeenknobbel steunen, om te voorkomen dat je bij het aanspringen naar binnen komt en het paard in de verkeerde galop aanspringt. Met een degelijke voorbereiding verbeter je de overgangen ook omdat je eventuele zwakkere puntjes voor die tijd al kan tackelen.

Subtielere hulpen

Voor een tempowisseling of overgang moet het paard voorwaarts gaan, dus geef je een kuithulp. Simpel. Nee, niet echt. Want hoe hard of zacht moet de hulp zijn? Het doel van dressuur is het verfijnen van de communicatie. Je wilt hetzelfde resultaat bereiken, met steeds kleinere hulpen. Maar dat vergeten we soms. Veel trainers beweren namelijk dat ruiters vaak te grote hulpen geven. De stelling kan (nog) niet onderbouwd worden met wetenschappelijk onderzoek, maar ik denk dat ze gelijk hebben. Als ik na ga hoe ik zelf rijd, weet ik dat ze gelijk hebben.

Te grote hulpen zijn niet fair tegenover het paard. Hij krijgt geen kans om te luisteren, maar wordt meteen een beetje gestraft. Vergelijk het met een collega die altijd tegen je schreeuwt.

Het is overigens net zo onhandig om steeds te kleine hulpen te geven waar geen reactie op komt. Daarmee maak je het paard juist vlakker. Hij zal denken dat het gepor of getrek erbij hoort en het verder negeren. Om dan nog iets voor elkaar te krijgen moet je wel grotere hulpen geven en raak je verder van je doel af.

Je kunt de hulpen beter afstemmen door het paard altijd drie kansen te geven. De eerste keer geef je fijne hulpen; een lichte kuitdruk, veel zachter dan je nu doet. Als het paard niet reageert, geef je er meteen een tweede, iets grotere hulp achteraan. Als het paard na die tweede keer nog niet reageert, herhaal je de hulp zoals je die de tweede keer gaf, maar nu geef je er meteen een tikje met de zweep achteraan. Als je dit consequent volhoudt, zul je zien dat het paard steeds sneller reageert op je eerste, kleine hulpen. En dan kun je die nog kleiner maken!

Nog iets om over na te denken, nog voordat je je eerste, tweede of derde hulp geeft. Wat wil je eigenlijk van je paard? Wat is het doel van je hulp? Dat is wel handig te weten om onduidelijkheid te voorkomen.
Een voorbeeld: een ruiter wil zijn paard iets vlotter laten draven en geeft een kuithulp. Het paard reageert door er in galop vandoor te gaan. Dit was misschien niet de bedoeling van de ruiter, maar het paard heeft wel gevraagd wat hij deed. Hij ging vlotter. Het doel is bereikt. Het is nu aan de ruiter om de volgende keer zijn wensen duidelijker kenbaar te maken met een kleinere beenhulp.
Wat ik bedoel te zeggen is dit: vraag je steeds af wat het doel van je hulp was voordat je het paard straft voor zijn reactie.

Zo word je de favoriet van je instructeur

Geef het vooral aan als je iets niet snapt of tegen een probleem aanloopt. Stel vragen, want niets is leuker dan een geïnteresseerde ruiter.

Schrap 'ja maar...' uit je vocabulaire als reactie op een aanwijzing. Doe eerst wat je instructeur zegt. Als je meteen met bezwaren komt, kan hij je niet laten zien wat hij bedoelt (en aantonen dat hij waarschijnlijk gelijk heeft).

Een kleine aanvulling op het vorige punt: heb vertrouwen in je instructeur. Dat kun je bewijzen door te doen wat hij zegt.

Praat respectvol over de paarden. Met opmerkingen zoals 'die stomme knol doet het niet' jaag je de meeste instructeurs direct op de kast. Je scoort juist punten door begrip op te brengen voor het paard. En waarom ook niet? Negen van de tien keer 'doet hij het niet' omdat jij iets verkeerd doet.

'Het lukt niet' of 'ik kan het niet', kun je ook beter niet zeggen. Dergelijke dingen denken heeft trouwens ook geen zin. Het zijn geen vruchtbare gedachten. Heb een beetje geduld. Daarmee onderscheid je je meteen op een positieve manier van veel andere ruiters.

Haal het beste uit je instructeur, door initiatief te tonen. Blijf niet op de hoefslag rijden, maar maak figuren, overgangen en probeer wat oefeningen. Hoe enthousiaster jij bent, hoe enthousiaster je instructeur zal reageren.

Het helpt ook om je doel meetbaar te maken. Als je voorwaarts wilt gaan, is een beetje voorwaarts niet altijd genoeg, zeker niet als je na drie passen weer moet aandrijven. Je mag dus wel eisen stellen. Hoe vlot wil je dat hij aandraaft? Probeer dat duidelijker aan te geven. Als het paard dan reageert kun je twee dingen doen: je beloont hem omdat hij precies deed wat je wilde of je geeft er direct een tweede of derde hulp achteraan omdat hij onvoldoende reageerde.

 Tip: kom eens wat vaker iets eerder naar de manege zodat je 'jouw' paard al even kunt zien lopen (ervan uitgaand dat hij meeloopt, natuurlijk). Van een afstandje valt het vaak beter op wat wel en niet goed gaat. Kijk eens naar de ruiter en onderzoek welke hulpen wel en niet doorkomen. Hoe kun jij dat straks verbeteren of hoe kun je zijn goede aanpak overnemen?

Stelling: iets naar binnen kijken

Door het rijden van overgangen controleer je de gehoorzaamheid. Wendingen hebben hetzelfde nut. In dit geval kun je er de stuurbaarheid mee toetsen en je teugelhulpen verfijnen. Omdat het paard voorwaarts moet zijn om te kunnen sturen, pak je dit onderdeel op nadat je je overgangen hebt geoefend.

Vergeet buiging nog even en begin met stelling. Dit is een lichte buiging in de nek en de hals van het paard. Zijn lijf blijft verder recht, hij kijkt alleen iets naar binnen, net genoeg zodat jij een stukje van zijn neusgat en de rand van zijn oog kan zien.

Experimenteer eerst op de korte zijde, gewoon op de hoefslag. Dat komt er meestal op neer dat je een halve grote volte maakt en nu mag dat ook. Vraag op dit stukje het hoofd van het paard een klein beetje naar binnen. Haal je binnenhand iets naar je toe en geef je buitenhand de ruimte iets naar voren te komen, zonder het contact te verbreken. Je beweegt je handen alsof je het stuur van je fiets draait. Blijf zelf recht op beide zitbeenknobbels zitten en houdt het gewicht op de teugels gelijk.

Vraag hierna een beetje stelling op de lange zijde. Dit is al wat lastiger, want veel paarden zien dit als een commando om af te wenden. Dreigt hij inderdaad van de hoefslag te komen, leg dan de binnenteugel iets tegen de hals en plaats je buitenhand iets naar buiten. Houd het paard tegelijkertijd tegen met je binnenbeen. Zodra het paard snapt wat je bedoelt, werk je naar de correcte hulpen toe; de binnenhand iets naar binnen en naar je toe, je buitenhand iets naar voren.

Let op: bij te veel stelling valt het paard over de buitenschouder weg en verliest je takt. Dit betekent dat het paard met een minder regelmatige en gelijkmatige pas gaat lopen.

 Tip: een bijzonder geslaagde oefening mag best wat uitgebreider beloond worden. Je kunt het paard een klopje op de hals geven, maar daarmee haal je hem wel meteen uit zijn concentratie, je moet immers de teugels loslaten of overpakken. Een vriendelijk woordje is dan beter.

Ben je klaar met een oefening en wil je het paard laten weten dat je tevreden bent? Laat de teugels wat langer worden en geef hem de kans zijn hals te strekken. Dat voelt voor hem namelijk als een beloning. Lichtrijden voelt na een zwaardere oefening overigens evengoed als een cadeautje.

Met buiging door de bocht

Na stelling komt buiging. Hiermee wordt een lengtebuiging bedoeld. Dat betekent dat het lijf van het paard, van hoofd tot staart, een zijwaartse buiging maakt. Het lichaam vormt zo eenzelfde lijn, als de lijn van de wending die hij maakt.

Als het goed is loopt de achterhand in het spoor van de voorhand. Hierdoor moet het binnenachterbeen iets harder werken om netjes onder te treden. Het ribben- en lendengedeelte worden om het binnenbeen van de ruiter gebogen zonder dat de achterhand uitzwaait. Een wending met buiging is daarmee meer dan een manier om van richting te veranderen. Het is een manier om je paard te gymnastiseren.

Oefen de buiging eerst op een grote volte bij A of C. De hoefslag geeft het paard steun en daar loopt hij meestal wat vlotter. Dit voordeel kun je met een volte bij A of C in ieder geval bij de helft van je figuur meepikken.

Dit zijn de hulpen voor buiging: vraag met de binnenteugel een lichte stelling en stuur het paard op de wending. Sta de buitenteugel zoveel toe als nodig is om de hals te laten buigen, zonder het contact te verliezen. De buitenhand waakt daarbij voor te veel stelling en begrenst de schouder. Ga iets meer op je binnenste zitbeenknobbel zitten. Houd je binnenbeen op de plaats en drijf het binnenachterbeen van het paard voorwaarts en voorkom met je been dat het paard naar binnenvalt. Je buitenbeen ligt iets naar achter en voorkomt, samen met de buitenteugel, dat het paard uitzwaait.

Bij een correcte buiging voelt de binnenteugel iets lichter en er lijkt een beetje lucht te komen tussen je binnenbeen en de buik van het paard. Het voelt alsof je binnenbeen de buik van het paard iets optilt. Het tempo blijft actief.

Als het paard steeds naar binnenvalt of terugvalt in het tempo, heeft het geen zin dit probleem op de volte op te lossen. Zoek liever naar de oorzaak en begin bij de basis. Volg weer even de hoefslag en loop alle voorgaande punten weer na. Zit je correct? Rijd eens een pasje voorwaarts en check of je paard nog steeds vlot op je been reageert. Corrigeer waar nodig is en draai dan weer de volte op.

 Tip: probeer je hulpen simpel te houden en voorkom dat je tien dingen tegelijk zegt. Bestaat er alsnog onduidelijkheid bij het paard, probeer dan alleen de clou van je boodschap samen te vatten. Om bijvoorbeeld een nette volte te maken, geef je verschillende hulpen met armen, benen en zit. Maar de clou is dit: je wilt wenden en dat vertel je het paard met je binnenteugel. Let op dat je andere hulpen dat niet overstemmen.

Net als je beenhulpen, kun je ook de teugelhulpen verfijnen. Probeer eerst vast te stellen wat voor hulpen je nu geeft. Hoeveel gewicht neem je op de teugel als je bijvoorbeeld afwendt? Is het vergelijkbaar met een pak suiker, twee pakken suiker of minder? En heb je dat gewicht echt nodig? Probeer het eens met een lichter gewicht om te kijken of het paard dan alsnog begrijpt wat je bedoelt.

 Tip: halve ophoudingen worden soms wat ondergewaardeerd of zelfs vergeten. Dat is zonde, want ze zijn reuzehandig. Ze zijn ideaal om je paard net even wat attenter te maken voor het inzetten van een overgang of het begin van een wending. Als het paard iets tegen de hand komt en dus iets zwaarder wordt of een beetje met zijn hoofd omhoogt komt, is een halve ophouding vaak al genoeg om hem weer te laten ontspannen.

Je kunt het zelfs gebruiken om een te hard tempo net een beetje terug te nemen.

De hulpen voor zo'n ophouding? Maak je wat langer, ga dieper zitten, sluit je hand en drijf iets bij. Het gaat heel snel, misschien een seconde en in dat korte moment sluit je het paard een beetje meer op. Daarna ontspan je weer.

Wijken, voorwaarts en zijwaarts

Als je alle voorgaande blokjes hebt gestapeld, kun je de stevigheid van je toren testen met een oefening zoals wijken voor het been. Het voorwaarts en zijwaarts laten lopen van je paard is een aardige manier om even aan je toren te schudden, figuurlijk dan. Want als een van de vorige onderdelen onvoldoende bevestigd is, stort de boel nu in.

Of je deze oefening in stap of draf aanpakt, hangt van de bouw van het paard af. Een groot of traag paard zal snel te veel terugvallen in stap en in draf heb je dan meer succes. Als het paard de neiging heeft onder je weg te lopen en te hard te gaan, kun je juist beter in stap beginnen.

Wijk vooral niet meteen vanaf de A-C-lijn! Maak ook nu een logische opbouw door kleine stapjes te zetten. Door eerst vanaf de binnenhoefslag te wijken, kun je gebruik maken van de aantrekkingkracht die de hoefslag op het paard heeft. Hij zal namelijk automatisch die kant op willen gaan. De eerste stap naar het wijken is daarmee gezet. Je moet er nog wel voor zorgen dat het paard wijkt en niet alleen over de schouder naar de hoefslag valt.

Dit zijn de hulpen: je buitenbeen blijft op de plaats en begrenst de buitenkant van het paard. Je buitenhand begrenst de buitenschouder. Je binnenbeen ligt iets naar achter en drukt het paard opzij. Met de binnenhand zorg je ervoor dat de hals bijna recht blijft

Rent het paard weg voor je been? Rijd dan weer rechtuit, maak een overgang terug en probeer nog eens een paar pasjes te wijken. Een klein stukje is zeker in het begin al genoeg en een beloning waard.

Nog een veelvoorkomend probleem: het paard wil echt niet zijwaarts.

Neem je zweepje in dat geval in je binnenhand en gebruik het als een verduidelijking van je binnenbeen. Ga iets meer op je buitenste zitbeenknobbel zitten en steun iets meer op je buitenbeugel. Houd de hals van het paard vrijwel recht, stelling komt later wel. De eerste stap is het zijwaarts gaan voor je been. De tweede stap is wijken met stelling.

Geef jezelf de tijd. Wijken is best een pittige oefening. Het vraagt namelijk een behoorlijke coördinatie van je hulpen, houding en zit. Je binnenhand en buitenhand doen twee verschillende dingen en datzelfde geldt voor je benen. Er komt best wat bij kijken. Maar dat is meteen de lol van de oefening. Voor de meeste paarden is het niet alleen een gehoorzaamheidsoefening, maar ook een gymnastische oefening. Als je paard netjes kan wijken, gaat hij straks losser en makkelijker lopen.

 Tip: haal het beste uit jezelf door opdrachtjes te verzinnen. Dat motiveert en moedigt je aan net wat beter je best te doen. Zeg bijvoorbeeld dat je precies een meter na A gaat afwenden, vijf meter naar rechts wijkt, vijf meter voorwaarts rijdt en daarna een paar passen naar links wijkt. Door stipter te rijden, komen eventuele minder sterke punten duidelijker bovendrijven. Om heel precies te rijden moet het paard wel heel goed aan je been- en teugelhulpen staan.
En wat let je om totaal nieuwe oefeningen te verzinnen? Je zou bijvoorbeeld eens van hand kunnen veranderen en een pasje proberen te wijken op de diagonaal. Met dit soort acties haal je het paard gegarandeerd uit zijn slaapstand.

Gefopt! We rijden schoudervoorwaarts

Bij de volgende oefening, het schoudervoorwaarts rijden, is de begrenzing van de buitenschouder essentieel. Voor een extra goede voorbereiding is het verstandig eerst nog eens het wijken te controleren en er goed op te letten of het paard niet over de buitenschouder wegvalt. Gelukt?

Oefen het schoudervoorwaarts rijden de eerste keren vanuit de hoek. Rijd netjes de wending door en vraag een correcte buiging. Rijd de hoek uit en doe net alsof je gaat afwenden om van hand te veranderen. Zodra de voorbenen van de hoefslag zijn, zet je schoudervoorwaarts in en zeg je dus eigenlijk 'gefopt! We gaan toch niet van hand veranderen'. Dit zeg je voornamelijk met je beenhulpen, je binnenbeen om precies te zijn. Daarmee druk je het paard opzij en zorg je ervoor dat de achterhand op de hoefslag blijft. Je buitenhand en buitenbeen begrenzen de schouder en achterhand net als bij het wijken. Beide handen plaats je iets naar binnen.

Je laatste blokje, het laatste onderdeel, is schouderbinnenwaarts rijden. De hulpen zijn exact hetzelfde als bij het schoudervoorwaarts rijden en ook nu zet je de eerste paar keren in op het moment dat je de hoek uitrijdt. Alleen komt de voorhand verder naar de binnen. Het paard loopt bij deze oefening op drie hoefslagen; het buitenachterbeen loopt op de ene hoefslag, het binnenachterbeen en het buitenvoorbeen op de tweede en het binnenvoorbeen een derde. Je kunt dit zien als je op een spiegel afrijdt.

Schouderbinnenwaarts wordt als een zwaardere variant gezien van het schoudervoorwaarts, maar veel ruiters nemen liever meteen die zwaardere oefening. Schouderbinnenwaarts is namelijk minder subtiel en dat maakt het eigenlijk makkelijker.

 Tip: wil je jezelf ook eens uit sleur halen? Rijd eens in een andere groep bij een andere instructeur. Hij of zij bekijkt je met frisse ogen en kan de dingen net iets anders uitleggen.

Ausbildungsskala

Systematisch verbeteren

Er is ook een Duitse blokkendoos. Die heet alleen anders, die heet Ausbildungsskala. De blokken om mee spelen zijn takt, ontspanning, aanleuning, impuls, recht richten en verzameling. Je hebt ze allemaal even hard nodig en zonder het een, lukt het ander niet.

Als je alles correct stapelt, krijg je totale nageeflijkheid. In deze 'staat' loopt het paard beduidend minder risico op vervelende blessures en kan de ruiter op een fijne manier werken aan de verdere ontwikkeling.

Niet alles van dit Ausbildungsskala is haalbaar voor het manegepaard en voor veel eigen paarden trouwens ook niet, maar het is wel een aardige bron van inspiratie, denk ik. Nu heb je echt geen tijd meer om rondjes te rijden!

Takt op zijn Duits

Takt slaat op de regelmatigheid en gelijkheid van de passen. Als elke pas even groot is en het paard zijn benen steeds even snel neerzet en optilt, dan loopt hij met takt. En als het goed is kan hij dit ook vasthouden in wendingen en tijdens tempowisselingen.

Een gespannen zit van de ruiter, een hand die te veel vasthoud of een onrustig onderbeen, verminderen de takt.

Hoe loopt jouw paard? Tel eens een tijdje mee met zijn passen. Marcheer samen in draf en tel tot twee; 1, 2, 1, 2 (draf is een tweetaktgang) Tel tot vier in stap en tot drie in galop. Je hoort het meteen wanneer je ritme verliest. Zoek de oorzaak in dat geval eerst bij jezelf, te beginnen met je houding en zit. Probeer ook eens wat tempowisselingen te rijden. Het ritme versnelt of verkort, maar hoort wel gelijkmatig te blijven, zonder haperingen bij de overgangen.

Ontspanning of Losgelassenheit

Losgelassenheit betekent dat het paard tijdens het rijden de juiste spieren aanspant en ontspant. Het is een soort soepelheid. Het hangt samen met een lichamelijke en geestelijke ontspanning.

Aan het gedrag van je paard kun je vaak zien hoe hij zich voelt. Een ontspannen paard laat zijn staart rustig afhangen, heeft een vriendelijk en levendig orenspel, houdt zijn mond gesloten, knabbelt wat op zijn bit, kijkt vriendelijk uit zijn ogen, heeft een prettig verende beweging en brengt zijn hoofd en hals wat naar beneden. Briesen is ook een teken van ontspanning. Een zwiepende staart, een slaand hoofd en oren die in de nek liggen, duiden juist op spanning.

Er is een eenvoudige manier om de ontspanning van je paard te controleren: laat hem halsstrekken! Laat de teugels wat langer worden zonder het contact te verliezen en kijk of je paard je hand naar voren en beneden volgt. Zo ja, dan is hij inderdaad ontspannen. Doet hij dit nog niet, pak de teugels weer op en werk verder aan tempowisselingen, overgangen en wendingen. Deze ontspanningstest kun je gerust wat vaker doen en een paar passen is al voldoende.
Nog een bijkomstig voordeel: het paard ziet halsstrekken als een fijne beloning.

Anlehnung = aanleuning
Een paard dat met takt en de juiste ontspanning voorwaarts gaat, zal algauw de hand van de ruiter opzoeken. Met de juiste ondersteuning ontstaat dan een constante, fijne, elastische verbinding tussen paardenmond en ruiterhand. Dit is aanleuning. Dat is iets anders dan contact. Een ruiter neemt contact zodra hij de teugels op maat maakt. Aanleuning komt vanuit het paard. Hij biedt het zelf aan. Met contact kun je sturen en stoppen. Met aanleuning krijg je er veel meer en fijnere communicatiemogelijkheden bij en help je het paard zijn balans te vinden.

Hoe verleid je het paard tot deze aanleuning? Begin met contact en let er op dat je steeds evenveel gewicht op beide teugels hebt. Je wilt een gelijkmatige verbinding. Moedig nu het paard aan 'naar je hand toe te lopen' door hem voorwaarts te maken. Jawel, je moet weer tempowisselingen en overgangen rijden.
Let goed op je houding en zit, want als je het paard stoort, kan hij zijn rug niet ontspannen, verlies je takt en is aanleuning ver te zoeken.

Schwung, het Duitse impuls
Impuls is de voorwaartse drang van het paard. Het is de prikkel waardoor hij niet zozeer harder gaat lopen, maar energieker. Duitsers spreken over schwung. Dat klinkt wat mij betreft niet alleen mooier, het lijkt de lading ook beter te dekken. Het resultaat van impuls is namelijk een fraaier, losser

en dynamischer plaatje. Het paard swingt meer. Dat klinkt als schwung. Impuls of schwung komt alleen voor in gangen met een zweefmoment, de draf en de galop dus. Het zorgt ervoor dat het paard meteen na het neerzetten van zijn benen weer duidelijk afzet. De

hoeven komen op de grond en gaan direct voorwaarts en omhoog. Het zweefmoment wordt hierdoor langer.

De eerste stap naar meer schwung neem je door jezelf flink op te peppen en dit gevoel vast te houden. Als jij energieker bent, pakt het paard dit ook op. Oefen nu met dit gevoel je middendraf en middengalop. Bij deze gevorderde varianten van tempowisselingen, wil je dat het paard vooral grotere passen maakt.

Immer Gerade.... richten (recht rechtuit)

De voor- en achterbenen van het paard zouden altijd netjes in hetzelfde spoor moeten lopen. De voor- en achterhand zouden recht achter elkaar moeten staan. Dat is vaak niet het geval, want elk paard is een beetje scheef. Ze hebben vrijwel allemaal een voorkeur voor de rechter- of linkerkant. Laat je het paard scheef lopen, dan zullen bepaalde gewrichten eerder slijten.

Op een paard dat zich liever holler maakt op de linkerkant, moet de ruiter de spieren goed ontwikkelen zodat hij diezelfde kant ook boller kan maken. Hij moet beide kanten soepel houden. Dat is nog best lastig, want ook veel ruiters zijn ietwat scheef. Wij hebben een voorkeur voor links of rechts en dat is niet alleen te merken wanneer we een pen vasthouden. Het wordt nog ingewikkelder als je bedenkt dat een scheef paard zijn ruiter scheef laat zitten, want dat maakt scheef lopen makkelijker voor hem.

Of het paard recht is, kun je zien als je op een spiegel afrijdt. Je kunt het vaak ook voelen. Een ongelijke druk op je twee teugels is een teken van scheefheid.

Het Duitse Skala pakt dit euvel aan. Rechtrichten is een vast onderdeel in het stappenplan. Ook jij kunt hieraan werken door eens wat vaker op de binnenhoefslag te rijden. Neem heel bewust evenveel gewicht op je twee teugels en geef met beide benen evenveel kuitdruk.

Is het paard scheef? Neem nog eens de tips door uit hoofdstuk 3 onder het kopje 'Hij trekt aan de linkerteugel'.

Verzameling/Versammlung

Wanneer het paard verzameld loopt, treden de achterbenen verder onder, buigen de heup-, knie- en spronggewrichten meer en dragen de achterbenen een groter gewicht. De voorhand wordt lichter waardoor het paard vrijer kan bewegen vanuit zijn schouders. Je noemt dit 'bergopwaarts lopen'. Als je een horizontaal lijntje zou trekken precies door het midden van de romp, dan loopt dit lijntje iets omhoog bij de voorhand. Dit is het tegenovergestelde van de natuurlijke houding, want dan loopt het lijntje bij de voorhand juist iets naar beneden.

Een paard dat in een correcte verzameling loopt, loopt dus binnen een ander kader en belast zijn spieren en gewrichten op andere manieren. Voor de meeste manegepaarden is dit echt een stap te ver. Maar dat is het voor veel paarden in de basisdressuursport ook, dus trek het je niet aan.

HOOFDSTUK 5

'A-X binnenkomen in arbeidsdraf'
En op naar een winstpunt

Je voltes zijn keurig rond, middendraf houd je een hele lange zijde vol en je paard staat altijd vierkant. Maar kun je ook een goede proef rijden? Deelname aan een wedstrijd is een aardige manier om jezelf te testen en je vorderingen bij te houden. En het motiveert, want je weet daarna precies waar je in de volgende lessen aan kunt werken.

Wedstrijden op de manege vormen een extra uitdaging. Er rijden misschien wel tien anderen op 'jouw' paard, dus hoe zorg je er dan voor dat de juryleden zich jouw rit tegen het einde van de dag nog wel herinneren? Niets maakt uiteraard zoveel indruk als een geweldige proef. De kans daarop wordt groter als je nadenkt over je voorbereiding en het losrijden en als je weet waar de jury op let. Charme en een winning outfit creëren (of suggereren) tot slot die doorslaggevende factor.

Een goede voorbereiding

Kijk wat anderen doen en doe zelf wat anders. Dat is de regel als je wilt opvallen. Mag je kiezen op welk paard je de proef rijdt? Kies dan niet het meest favoriete paard. Om op te vallen moet je risico's durven nemen en dat kun je je best permitteren. Bij de wedstrijden op de manege gaat het namelijk niet om het paard en de combinatie, maar om jou. De jury kijkt vooral naar de houding en zit van de ruiter en de correctheid van de hulpen. Vergeet dus die automaat en kies een paard waarop je je rijkunsten kunt laten zien.

Soms deelt de instructeur de paarden in. Soms al ruim een week voor de wedstrijd. Uiteraard is dat het paard waar je in de les op wilt rijden. Is hij al bezet? Ga een uurtje vrijrijden. Hoor je pas op de dag van de wedstrijd op welk paard je rijdt? Zie dit als een aanmoediging om het hele jaar door wat vaker op verschillende paarden te rijden of in ieder geval voor het wedstrijdseizoen begint. Onderzoek wat hun sterke en minder sterke punten zijn, hoe ze reageren op je been en hoe ze zitten. Blijf tijdens de les zo min mogelijk achter een ander aanrijden, want misschien is het paard veel schrikkeriger zonder voorganger. Dat maakt de kans groter dat hij ook tijdens een proef minder zelfverzekerd door de ring loopt. Probeer hier meteen aan te werken tijdens je les en vraag je instructeur om tips.

Lukt het niet om alle paarden te proberen, kom dan eens wat vaker een uur eerder of blijf na de les wat langer. Gebruik die tijd om de paarden te bekijken, ook daar steek je wat van op.

De proef uit je hoofd leren, levert je geen bonuspunten op. Maar je hebt er wel voordeel van, want het voorkomt verrassingen en dat rijdt zoveel meer ontspannen. Als je bijvoorbeeld weet dat je straks moet aangalopperen, kun je je voorbereiden en het paard tijdig wat scherper aan je been zetten als dat nodig is. Mocht hij in de verkeerde galop aanspringen, dan hoef je niet in paniek te raken als je al weet dat je zo een volte bij B moet maken. Daar kun je de tweede poging wagen. Je hebt dus alle tijd het paard rustig terug te nemen in draf en het aanspringen nogmaals voor te bereiden.

Een laatste taak tijdens de voorbereidingen: lees voor de zekerheid de reglementen door. Het zou zonde zijn als je punten misloopt omdat je zweep te lang is of je handschoenen een verkeerde kleur hebben.

 Tip: bekijk op de dag van de wedstrijd zoveel mogelijk proeven die anderen met jouw paard rijden. Dan weet je waar je straks op moet letten.

Losrijden

Vaak krijg je maar een beperkte tijd voor het losrijden, hooguit een paar minuten. Hoe benut je die het beste? Door je beugels op maat te maken! Gebruik hier die tijd voor. Jouw houding is een van de belangrijkste punten in je proef, dus zorg dat je goed en comfortabel zit. Rijd desnoods even zonder beugels. Vaak voel je daarna duidelijker of ze inderdaad de juiste lengte hebben.

Hoe je de overige tijd invult, hangt van het paard af. Hoe liep hij met de anderen? Sprong hij in de verkeerde galop? Oefen dat dan een keer en voorkom dat je dezelfde fouten maakt. Vraag wat meer stelling en buiging, ga iets meer op je zitbeenknobbel aan de buitenkant zitten en drijf alleen aan met je buitenbeen.

Was het paard te traag? Maak dan tijdens het losrijden een paar overgangen om hem alerter op je beenhulpen te maken. Wees consequent. Als hij niet vlot reageert op je beenhulpen geef je direct een tikje met de zweep. Beloon hem uiteraard even consequent voor een nette reactie.

Liep het paard juist veel te hard? Probeer wat rust en ontspanning terug te brengen door het paard de hals te laten strekken. Maak daarna een paar rustige overgangen van stap naar draf en weer terug. Geef steeds heel kleine hulpen en probeer zo langzaam mogelijk aan te draven.

De proef

Houding, zit en hulpen zijn de belangrijkste aandachtspunten van de proef. Daar scoor je punten mee. Het maakt de juryleden van een manegewedstrijd dus niet uit of het paard door de ring danst. Ze letten minder op hem. Het maakt ze wel uit dat jij het paard stoort in zijn bewegingen, want dat zegt iets over jouw houding en zit; iets nadeligs.

De jury heeft ook liever dat je twee keer op de juiste manier probeert aan te galopperen en in de verkeerde galop terechtkomt, dan dat het paard na een onnodig harde tik in één keer goed aanspringt. Het geven van de correcte hulpen is belangrijker dan een foutloze uitvoering. In de verkeerde galop blijven rijden, kost je overigens ook punten, want dat duidt op een gebrek aan kennis.

Een slomer paard voorwaarts houden, blijft ook tijdens wedstrijden een struikelblok voor veel ruiters. Als je niets doet, valt het paard misschien stil. Maar als je steeds voorwaartse beenhulpen geeft, benadruk je het te

lage tempo. Iedere opvallende kuitdruk zegt: 'Sorry, ik heb mijn paard niet aan de hulpen.'

Wat te doen? Toon inzet! De jury ziet heus wel dat het een flegmatiek paard is. Daar houden ze rekening mee. Maar ze willen wel dat je er iets mee doet. Lessen zijn bedoeld om dit probleem echt aan te pakken, wedstrijden niet, maar het paard moet ook leren dat hij in de ring net zo goed zijn best moet doen. Corrigeer het gedrag dus wel. Dit betekent dat je ook in de ring het paard best een tikje mag geven. Maar zorg dat je dit correct doet: je geeft dus eerst een beenhulp en, als het paard niet reageert, een gepast tikje, niet te hard, niet te zacht. En… doe dit het liefst zover mogelijk van de jury vandaan, in een hoek, met het zweepje in je buitenhand zodat het minder opvalt.

Duidelijk en consequent de hoeken inrijden is nog een prima manier om extra punten te winnen. De meeste ruiters doen dit namelijk niet. Dat bewijst de hoefslag op de korte zijde, want die lijkt vaak verdacht veel op een halve cirkel. Ga dus van die hoefslag af. Stuur het paard nog een laatste meter rechtuit voordat je de wending inzet en de hoek omgaat. Je zult zien dat je figuren nu veel mooier uitkomen. Een volte bij A heeft ineens een begin en einde: de ene hoek hoort wel bij de cirkel, de andere niet.

Rijd ook nauwkeurig op de letters. Galoppeer aan bij A als daarom gevraagd wordt en niet een meter ervoor of erna.

Als je vanuit de hoeken moet wenden, bijvoorbeeld om van hand te veranderen, wend je af als de schouder van het paard bij de letter is. Als je bijvoorbeeld moet halthouden bij A zorg je ook dat de schouder van het paard bij het bordje staat.

Concentratie en een bijbehorend gezicht worden je vergeven. Natuurlijk mag je ook best een keer zuchten als je paard weer verkeerd aanspringt, want die teleurstelling is begrijpelijk. Maar houd je in. Uit irritatie, omdat 'dat stomme paard weer niet doet wat jij wilt', tik je vaak net te hard aan of trek je net te ruw aan de teugels. Dat wordt direct bestraft op je protocol. En terecht.

Een vriendelijke houding tegenover je paard zal je puntenaantal misschien niet zichtbaar doen stijgen, maar het wordt wel gewaardeerd. Als jij geniet,

geniet de jury ook. Belonen mag officieel niet tijdens de proef, maar als je paard een waanzinnige middendraf laat zien, mag je je enthousiasme best even tonen. Op correcte wijze, uiteraard.

Moet hij aan de teugel?

'Moet het paard aan de teugel lopen?' Dat lijkt voor veel ruiters de grote vraag. Het antwoord is nee! Tenzij jij en het paard dit goed kunnen, want dan hoef je het natuurlijk niet te laten. Maar tijdens manegewedstrijden krijg je hier geen extra punten voor. Je krijgt wel puntaftrek als je het hoofd op een verkeerde manier naar beneden probeert te krijgen. Dat komt de rust en harmonie immers niet ten goede en je houding en zit trouwens ook niet.

In geval van twijfel: bespaar jezelf de moeite.

Probeer wel steeds een fijn contact of een zachte verbinding te houden met de paardenmond. De jury wil de teugels niet zien zwaaien. Maak ze dus op maat tot je ongeveer het gewicht van een appeltje in beide handen hebt. Door het paard voldoende voorwaarts te rijden, kun je dit contact houden. Ontspan je hand en armen zodat je, zeker in stap en galop, mee kunt gaan in de bewegingen van het paard.

Ook stelling levert punten op. Dit betekent dat je het hoofd van het paard in de wendingen iets buigt in de richting waarin hij loopt, iets naar binnen.

Buiging is de gevorderde variant van stelling. Het hele lijf vormt zich dan naar de wending. Fotografeer van bovenaf een paard op de volte met de juiste buiging en je zult zien dat het lijf, van hoofd, tot achterhand, een zelfde lijn heeft als de cirkel waarop hij loopt.

Sommige instructeurs leggen liever wat minder nadruk op stelling omdat ruiters algauw te veel aan de binnenteugel zitten. Door dan om buiging te vragen is de kans groter dat het paard op beide teugels en met beide benen door de wending wordt gereden.

Bij wedstrijden op FNRS-bedrijven wordt vanaf de F12 de nageeflijkheid van het paard beoordeeld. Dit punt wordt belangrijker naarmate het niveau stijgt. De onderdelen in die proeven vragen ook om ontspanning en nageeflijkheid, zoals achterwaarts gaan bijvoorbeeld.

Charmeoffensief

Helemaal onderaan je protocol staat het punt voor verzorging. Het is één onderdeel, soms twee als de verzorging van paard en ruiter apart worden geteld. Als jouw kleren schoon zijn en er geen zichtbare moddervlekken op je paard zitten, krijg je hoe dan ook voldoendes. Toch helpt het om wat extra moeite te doen. Er wordt weliswaar slechts één of twee punten uitgedeeld voor verzorging, maar je krijgt bij elk onderdeel de kans om de jury te charmeren.

Vaak mag je kiezen of je de wedstrijd in een witte of donkere rijbroek rijdt en jouw keuze kan punten kosten of opleveren. Als je bijvoorbeeld nog niet kunt zitten alsof je aan het zadel geplakt bent, is een donkere broek een veiligere keuze. Een witte broek laat namelijk elke kier tussen je zitvlak en het zadel zien.

Een slobbertrui en iets te wijde of te grote blouse gaan achter bol staan als je rijdt waardoor het lijkt alsof je krom zit. Prima als je inderdaad krom zit, want misschien geeft de jury je het voordeel van de twijfel. Maar als je keurig rechtop zit, wil je dit juist benadrukken. Dat kan met een goed passende, getailleerde bodywarmer of met een meer aansluitende trui. Verticale strepen benadrukken je rechte zit ook. Met asymmetrische patronen kan het juist lijken alsof je scheef zit.
Zorg dat je bovenkleding een zelfde kleur heeft als je meerdere laagjes draagt. Dat geeft een rustiger beeld. Stem de kleur van je trui ook af op de kleur van je broek als je een onrustige zit hebt.
Wil je eenheid met je paard uitstralen? Kies kleding in een zelfde kleur als het dekje van de manege.

Witte handschoenen zijn ook niet altijd verplicht en als je handen minder rustig op de plaats blijven, kun je ze beter niet dragen. Kies dan liever voor handschoenen in de kleur van je blouse of trui. Dan vallen ze minder op. Als je handen mooi stil staan, kies je uiteraard wel voor die witte handschoentjes en niet voor een blouse in dezelfde kleur zodat het contrast nog groter wordt.

Zorg er in alle gevallen voor dat je handschoenen en mouwen lang genoeg zijn. Een randje huid dat soms wel en soms niet zichtbaar is, geeft alsnog een onrustig beeld.

Volgens het FNRS-wedstrijdreglement mag je in manegetenue of in wedstrijdtenue rijden. Lees in de reglementen goed na wat dit inhoudt. Het wedstrijdtenue moet bijvoorbeeld wel compleet zijn met plastron en witte handschoenen.

Nog een paar details: knotjes en haarnetjes zien er keurig uit, maar ogen vrij streng. Een vlecht of staart met een mooie speld ziet er sympathieker uit. En het haar van je paard? Vlecht en versier de staart alleen als het paard zijn staart rustig laat afhangen tijdens het rijden.

Echte glitter (niet te verwarren met glamour) zie je in de westernsport. Er zijn geen strenge kledingsvoorschriften en de ruiters kunnen zelf een outfit kiezen. De betere jurymisleidende trucs zie je dan ook daar. Zo stemmen sommige ruiters de kleuren van hun kleding af op de accommodatie. Zijn de muren donkerblauw, dan zal een ruiter met een onrustige zit donkerblauwe kleding kiezen zodat hij geen onnodige aandacht trekt. In het buitenseizoen is groen erg populair.

De zelfverzekerde ruiters dragen juist veel glimmers en wilde patronen zodat de juryleden ze zelfs vanuit hun ooghoeken nog voorbij zien komen.

F-proeven voor manegeruiters van FNRS-bedrijven

Speciaal voor manegeruiters van FNRS-bedrijven zijn de zogenaamde F-proeven ontwikkeld. Je begint in de klasse F1 en kunt doorstromen tot het hoogste niveau, de klasse F20.

Wanneer de jury de proef beloont met 210 of meer punten, krijg je een promotiepunt. Bij voldoende promotiepunten mag je overstappen naar een hoger niveau.

Alle proeven en de nodige uitleg erover vind je in het FNRS-handboek. Hier een globaal overzicht:

F1 en F2: gewoon leuk

Je hoeft nog niet in galop en er is weinig reden tot stress. Ontspan en geniet van je eerste wedstrijdervaring.

In de F2 moet de ruiter op het einde van de proef afstappen, de beugels opsteken en met het paard aan de hand de ring verlaten. De jury beoordeelt ondertussen de omgang en veiligheid.

F3 t/m F6: moedig zijn

In deze proeven zit het onderdeel 'hals strekken'. In F3 en F4 doe je dit in stap en in F5 en F6 in draf. Het gaat vooral om moed. Durf je de teugels losser te laten en kun je dan nog steeds in balans blijven rijden?

F5 tot F9: een niet storende hand

Een belangrijk aandachtspunt van F5 tot F9 is de hand van de ruiter. Die mag niet storen. Bij het wegrijden na het groeten zal de jury bijvoorbeeld extra op je hand letten om te kijken of je hand het paard wel de gelegenheid geeft om voorwaarts te gaan.

Vanaf F9: een constante verbinding

Op het protocol van F9 tot en met F11 wordt een punt genoteerd voor de 'constante verbinding' tussen ruiterhand en paardenmond. Simpel gezegd: er mogen geen boogjes meer in je teugels vallen. Vanaf F12 is dat onderdeel vervangen door 'nageeflijkheid', een verbeterde versie, een nog nettere verbinding met meer ontspanning.

F11 t/m F17: wijken

Het onderdeel wijken wordt in de F11 voor het eerst geïntroduceerd, dan nog vanaf de middellijn naar de hoefslag. In F16 en F17 wijk je juist van de hoefslag naar de middellijn. Staar je niet blind op de uitvoering, maar let vooral op je hulpen en je beenligging. Dat doet de jury ook. En vraag niet te veel stelling!

F18 t/m F20: schoudervoorwaarts en schouderbinnenwaarts

In de F18 rijd je voor het eerst een stukje schoudervoorwaarts en in F19 en F20 schouderbinnenwaarts. Het komt allebei op hetzelfde neer: je moet de schouder van het paard naar binnen plaatsen, van de hoefslag af. Schoudervoorwaarts is een subtiele versie. Bij schouderbinnenwaarts moet het paard ver genoeg van de hoefslag komen zodat hij op drie sporen loopt; het buitenachterbeen vormt een spoor, het binnenachterbeen en buitenvoorbeen een tweede spoor en het binnenvoorbeen het derde.

Het lukt, het lukt niet, het lukt...
Mental coaching

Wat is het doel van een wedstrijd? Winnen natuurlijk! Dat dacht ik althans, tot een coach me corrigeerde. Hij zei dat winnen geen doel kan zijn. Je hebt het namelijk niet in de hand, zelfs niet als je de beste proef ooit rijdt. Want als de volgende deelnemer net een beetje beter rijdt, wint hij en verlies jij. Ik vond het een vreselijk idee. Ik kon me ook niet voorstellen dat sporters na jaren en jaren keihard trainen eindelijk bij de Olympische Spelen aan de start verschijnen en niet stiekem even denken aan een medaille. De coach lachte: ,,Dat verklaart meteen waarom jij de Spelen niet zult halen!''

De uitdaging van wedstrijden, is niet het winnen, maar het kunnen pieken op het juiste moment. Dat lukt niet iedereen en dat maakt de uitslag juist zo spannend. Niet het beste paard of de beste ruiter maken de meeste kans, maar degene die zijn zenuwen het beste onder controle heeft. Om dit voor elkaar te krijgen, moet je de juiste doelen stellen en stoppen met denken.

Heb je het plan een foutloze proef te rijden, dan wordt de kans op fouten groot. Eén misstap en de concentratie is weg. Stel liever een haalbaar doel. Je kunt je bijvoorbeeld beter voornemen netter de hoeken in te rijden of een meer gewaagde middendraf te laten zien. Dat heb je wel zelf in de hand. Zoek één puntje van verbetering en maak dat je doel. Leg de lat niet te hoog, want dat geeft onnodig veel stress. Je hoeft het jezelf ook niet te makkelijk te maken, want waar is anders de uitdaging.

Doe niet extra je best, maar doe wat je altijd doet. Het is onlogisch om juist tijdens de wedstrijd de dingen anders te doen. Je weet hoe je moet aangaloperen, rijd dus op de automatische piloot en denk daar verder niet over na. Denk liever helemaal niet na, want dat werkt alleen tegen je. Een gedachte als 'Oh nee, de galop!' kan al resulteren in een oppervlakkigere ademhaling en verkrampte zit. Daarmee wordt de kans groter dat het paard in de verkeerde galop springt.

Jezelf verbieden te denken lukt uiteraard ook niet; "Oh nee, de galop. Oh nee, ik mag niet denken!' Denk, maar geef geen aandacht aan de gedachtes. Zie het als een signaal om nog beter op de ontspanning en je ademhaling te letten. En relax. Een minder goed onderdeel verpest niet de hele proef.

Jammer dat het paard in de verkeerde galop aanspringt, maar je weet hoe je dat moet herstellen. Doe dat dan.

Een wedstrijd is een leerproces. Wil je extra lessen, vraag een vriend of vriendin dan de proef te filmen. Let tijdens het bekijken van de beelden wel op je taalgebruik. Zeg geen dingen zoals 'de galop ging waardeloos', maar zeg 'de galop kon beter'. Dat scheelt weer een hoop zenuwen en nare gedachten bij je volgende wedstrijd.

 Tip: topsporters schijnen zichzelf op te peppen voor een belangrijke wedstrijd door hun gouden momenten nog eens terug te kijken op video. Dat brengt ze in een winning mood. Misschien kun jij jezelf ook in de juiste stemming brengen? Misschien geeft je favoriete dansmuziek je een lekkere oppepper of kun je de spanning van je af laten glijden door voor de wedstrijd nog even met de hond te wandelen.

HOOFDSTUK 6

Specialiteiten
Deel 1: springen

Springen is een welkome afwisseling en geeft paarden de kans hun rug en halsspieren even lekker te rekken en strekken

Jou biedt het ook voordelen, want springen maakt je handiger en verbetert je reflexen, balans, reactievermogen, flexibiliteit en coördinatie. Daarnaast leer je ritme houden en de passen van je paard te verkleinen en vergroten. Allemaal punten die overigens ook van pas komen bij dressuur.

Er is één reden om niet te springen: angst. De kans om te vallen lijkt groter en de controle over het paard kleiner. 'Dressuur is veiliger', zeggen sommigen. Maar die beredenering klopt niet helemaal. Je kunt tenslotte altijd vallen. Als er ineens een hoop kabaal klinkt, zal vrijwel elk paard schrikken en wegrennen. Dat is zijn natuur. Is het dan niet logischer én veiliger om te leren hoe je met wat extra beweging en een eventueel bokkensprongetje kunt omgaan? Angst zou geen obstakel moeten zijn bij het springen. De eerste keer in galop was ook eng en dat heb je gedaan. En deze beloning is beter! Nog niet overtuigd? Spreek met je instructeur af dat je op elk moment mag stoppen. Dat geeft een veilig gevoel.

Misschien ook goed om te weten: alle genoemde voordelen haal je ook al uit een sprong van 30 centimeter. Het is zelfs verstandig om rustig op te bouwen.

De springhouding

De beugels moeten korter, zoveel is vaak wel bekend. Maar de verlichte zit houdt iets meer in dan dat. Zie hier de belangrijkste kenmerken:

De beugels worden inderdaad korter gemaakt, maar hoeveel korter hangt af van jouw bouw en de lengte van je been. Heb je korte benen dan kun je beginnen met twee gaatjes. Tenzij je op een breder paard zit! Dan is één gaatje soms al genoeg.

Wie lange benen heeft, zal de beugels misschien wel vier of vijf gaten korter moeten maken.

Of de beugels de juiste lengte hebben, merk je eigenlijk pas nadat je een sprongetje hebt gemaakt. Je moet even kunnen voelen of je voldoende met de beweging kunt meegaan.

Je houding is ook anders. In de verlichte zit buig je je bovenlichaam vanuit je heupen iets naar voren en kom je met je achterwerk iets uit het zadel zodat je kont er als het ware boven zweeft.

De knie ligt tegen het zadel en de kuit net iets achter de singel. Let op dat je niet knijpt met je benen. Daarmee belemmer je het paard zijn rug optimaal te gebruiken. Trainer Wim Bonhof laat zijn leerlingen zelf voelen hoe dat werkt. Probeer het te volgen: ,,Leg je rechterduim en -wijsvinger op de zijkant van je linkeronderarm alsof de vingers je benen zijn en je linkerarm het paard. Knijp met de twee vingers in je arm en maak dan een bal van je linkervuist. Voel je de spieren van je arm tegen je vingers drukken? Dat voelt het paard dus ook als jouw benen knijpen en daardoor zal hij zijn rug minder gebruiken.

Je kunt het knijpen voorkomen door genoeg druk op de beugels te zetten, meer gewicht dan je met dressuur doet.

Wanneer je in de verlichte zit 'staat', houd je je handen aan weerszijden van de hals, boven de manenkam. Als het paard afzet en springt, gaan ze mee naar voren met de beweging van het paard.

Je onderarmen hangen ontspannen iets voor de loodlijn van je bovenlijf. Je schouders blijven licht naar achteren, weg van je oor. Kijk steeds voor je, tussen de oren van het paard door, zodat je hoofd rechtop blijft.

En nu moet je je nog zien te ontspannen! Een te gespannen of stijve houding, bijvoorbeeld door een te holle of te bolle rug, maakt het moeilijker mee te gaan in de bewegingen. Maar als je te ontspannen of te los zit, beweeg je te veel en stoor je het paard.

Wedstrijden
Springen voor een lintje
Een slons op een ezel kan winnen van de pro op een sportpaard. Bij wijze van spreken... Dat is het leuke van springen. Bij dressuur komt wel eens haat en nijd voor: 'De trut heeft zeker de jury omgekocht.' Bij springen nauwelijks. Iedereen kon immers zien dat de balk er afviel of op het nippertje bleef liggen. Het enige waar je je tijdens een springwedstrijd druk om moet maken, is een foutloze rit. Kledingtips helpen je niet. Risico's kun je ook beter vergeten. Kies bij springwedstrijden op de manege juist wel voor die automaat!

Net als bij een dressuurwedstrijd, loont het wel om je huiswerk te doen door de schets van het parcours te bestuderen en uit je hoofd te leren. Kijk naar de lijnen. De hindernissen zijn in een logische volgorde neergezet. Je springt zelden naar een hoek toe, maar eerder vanuit een hoek. Je maakt geen gekke, krappe bocht naar links, als rechts meer ruimte is, want wendingen hebben meestal een straal van 20 meter.
Loop na deze korte studie het parcours zodat je de sprongen 'live' kunt zien.

Neem bij het losrijden, net als bij een dressuurwedstrijd, de tijd om je beugels op maat te maken. Als het paard al eerder heeft gelopen, hoef je niet meer los te rijden. Je hoeft ook niet veel te springen. Twee sprongetjes zijn voldoende en enkel bedoeld om jou weer even het gevoel te geven. Concentreer je de overige tijd op ritme en balans. Rijd overgangen, tempowisselingen en oefen je wendingen. Loopt het paard op twee teugels en reageert hij vlot op je hulpen?

Veel ruiters komen het parcours binnen, houden halt voor de jury, groeten, galopperen aan en rijden op de eerste hindernis af. De jury vindt dit prima, want je begint lekker vlot. Maar je hebt er meer aan om een rondje door de hele rijbaan te maken. Rijd even tussen de hindernissen door, vooral voorbij de hindernissen die er wat vreemd uitzien, want het helpt als je paard de sprongen vooraf kan zien. Let op: volgens de regels mag je je paard de hindernissen niet laten verkennen. Blijf dus draven. Natuurlijk mag je wel op een strategisch punt halthouden om te groeten. Niet vlak voor een hindernis, maar wel in de buurt van die enge hindernis. Het paard heeft een panoramisch zicht, dus ziet de dingen naast zich toch wel.

Voor, tijdens en na de sprong

Volgens de boekjes rijd je in een verlichte zit op de sprong af en je blijft in de verlichte zit op de langere lijnen tussen de hindernissen, zodat het paard makkelijker onder je kan bewegen.

Maar dat zijn de boekjes. Sommige trainers wijken daarvan af. Zij zien je liever in een 'normale' houding op de hindernis afrijden, rechtop, kont in het zadel, zoals je bij dressuur zou rijden. Je handen staan in dat geval boven de manenkam en je onderarmen hangen bij de loodlijn van je bovenlijf. Pas bij de afzet van het paard kom je in de verlichte zit en ga je van daaruit verder mee met de beweging. De reden voor deze manier: de meeste ruiters kunnen een stuk stabieler zitten dan staan en kunnen zittend beter voelen wat het paard doet en makkelijker hun hulpen geven. Bij springwedstrijden zie je beide stijlen terug.

Hoe je ook tussen de hindernissen rijdt, alle trainers zijn het erover eens dat je bij de afzet in de verlichte zit moet komen. Het paard maakt zijn hals korter en zijn voorhand komt omhoog. Jouw hand gaat tegelijkertijd naar voren mee met die beweging, zonder het contact te verliezen. Naar mate de sprong hoger wordt, gaat het lichaam meer naar voren en jouw hand ook.

Boven de sprong blijft je kont uit het zadel en vormt jouw rug een zelfde lijn als de rug van het paard; bijna recht en eerder iets bol dan hol.

Tijdens de landing komt je bovenlijf weer omhoog en verplaats je je gewicht iets naar achteren. Het is de kunst niet voorover te vallen als het paard de grond raakt. Dat is belastend. Maar als je te vroeg overeind komt, stoor je het paard en kan hij daardoor nog net een balkje eraf tikken met zijn achterbeen.

Ging dit allemaal te snel? Dit zijn de 'highlights': houd tijdens de afzet, de sprong en de landing voldoende druk op je beugels, evenveel aan beide kanten. Kom met je achterwerk uit het zadel, houd een constant, elastisch contact met de mond van het paard, blijf voor je kijken en houd jouw zwaartepunt steeds boven het zwaartepunt van het paard.

'Het past niet!'

Als het paard te laat afzet, springt hij er als een gazelle overheen; met vier benen tegelijk. Als hij te vroeg afzet krijg je een enorme zweefduik. Als je hier niet op bedacht bent, en dat lijkt meer regel dan uitzondering, hang je als een aap in het zadel. Je raakt uit balans en gaat stuiterend achter de bewegingen aan. Hoe plaats je het paard dan precies goed voor de sprong? Dat lijkt voor veel ruiters een obsessie.

,,Als je begint met autorijden moet je ook leren hoe je de afstanden inschat", zei mijn springinstructeur. ,,Daar is het kruispunt, wanneer ga je remmen? Dat leer je." En inderdaad, ik kom zelden verkeerd uit voor een kruispunt. Maar springen lukt nog steeds niet!
Zodra ik de kans kreeg, heb ik dan ook een internationale springruiter om zijn geheim gevraagd. Hij vond het wel grappig en liet me zien dat hij ook geen afstanden zag. Hij reed op een sprong af en zei: ,,Ik zie het niet. Ik zie de afstand nog steeds niet." Twee galopsprongen voor de hindernis zag hij 'het' wel en hoefde niets meer te doen om het paard keurig over de sprong te krijgen. Het leek vanzelf te gaan. Heel irritant.

Voor het geval jij, net als ik, geen geweldig oog hebt voor afstanden en oefenen dit oog ook weinig goed doet: wees gerust, het paard kan zelf afstanden inschatten. Hij ziet tenslotte ook diepte en let echt wel op. Hij wil zijn benen niet stoten. Maar jij moet hem wel de kans geven om te kijken. Als je het paard aan de teugel laat lopen, lukt dat niet; dan ziet hij alleen de grond met diepte. Geef hem dus wat meer ruimte in de hals zodat hij kan opkijken.

Balans en ritme

Je mag de afstanden voorlopig ook helemaal laten zitten. Focus je, zolang de hindernissen nog geen 1,30 meter hoog zijn, in plaats daarvan op balans en ritme. Daarmee kom je ook al een heel eind. Het paard kan weliswaar nog steeds een keer te vroeg afzetten, maar als hij balans en ritme heeft, beweegt hij zich zo los in zijn lijf dat hij de hindernis best wat ruimer kan nemen. Hij kan zichzelf redden. Bij te vroeg afzetten krijg je een grote sprong, geen noodsprong.

Ritme ken je vast nog van de dressuurles. Het betekent dat het paard met gelijkmatige passen loopt. Als je in de galop tot drie telt, het is tenslotte een drietaktsgang, neemt elke tel evenveel tijd in beslag. Als het goed is, kun je dit ritme vasthouden op de lange zijdes en in wendingen. Als je de passen verkort of vergroot, ofwel zachter of harder rijdt, wordt het ritme langzamer of sneller, maar het blijft gelijkmatig.

Met balans wordt een horizontale balans bedoeld. Het paard loopt niet langer op de voorhand zoals hij van nature doet, maar hij verdeelt zijn gewicht netjes over zijn vier benen. Jij kunt dit voelen. Een paard dat in balans loopt, neemt de teugels aan en hangt bijvoorbeeld niet. Jij hebt op beide teugels steeds het gewicht van ongeveer een appeltje.

Balans en ritme kun je testen en verfijnen met tempowisselingen. Zodra het paard scherp reageert op je voorwaartse beenhulp en netjes terugkomt op je (lichte) teugel- en zithulpen, ben je er klaar voor. Misschien kunnen we het lijstje voorwaarden daarmee iets uitbreiden: springen gaat om balans, ritme en de inwerking van de hulpen.

Zodra je de passen correct en op elk willekeurig moment kunt verkleinen en vergroten, kun je ook de afstanden voor de hindernissen beter passend maken.

Tip: vraag de instructeur tijdens de dressuurles een balk op de grond te leggen. Verbeter je balans en ritme en rijd daarna op de balk af en kijk of het lukt om met hetzelfde ritme over de balk te gaan. Dit is een prima springoefening zonder het paard te veel te belasten.

Stoppers, stormers en vliegende balken
Springproblemen en oplossingen

Jij zit er netjes op en je paard schakelt soepel wanneer je maar wilt. De springles zou een eitje moeten zijn. Helaas. Want wat moet je doen als het paard zijn hoeven in het zand plant of aan het parcours begint alsof het een steeplechase is?

Hieronder vind je de meest voorkomende problemen, de verklaringen en natuurlijk tips om het op te lossen. Ook dit ziet er op papier best simpel uit.

Hij gaat... hij gaat... ernaast

Het paard draaft of galoppeert netjes op de sprong af, maar net voor de afzet besluit hij er niet overheen te springen, maar er voorbij te lopen. Ineens schiet hij naar links of rechts. En eigenlijk is dat best logisch. Voor het paard is het onnatuurlijk over een obstakel heen te springen als er genoeg ruimte is het te ontwijken.

Door aan weerszijden springbalken naast de hindernis te leggen en een fuik te vormen, wordt een (jong) paard uitgenodigd te springen. Deze truc kan ook van pas komen als het paard steeds de hindernis voorbij holt.

Maar dit probleem vraagt ook om enkele rijtechnische verbeteringen. Er is bijvoorbeeld een grote kans dat dit paard onvoldoende aan je been is. Dat is lastig, want een paard wordt juist makkelijker te sturen als je hem 'van achter naar voor kan rijden'. Oefen nogmaals je tempowisselingen en wees steeds consequent met je voorwaartse beenhulpen.

Misschien is je paard ook wat scheef. Werk op de binnenhoefslag en houd hem recht tussen twee gelijke teugels. Probeer, wanneer je een tweede keer op de hindernis afrijdt, goed te voelen wat er gebeurt. Als het paard ernaast wil schieten, geeft hij dat meestal al eerder aan. Hij trekt net iets meer naar een bepaalde kant. Neigt hij naar rechts, plaats dan direct je linkerhand iets naar links, leg je rechterbeen aan en drijf voorwaarts. En let op je wendingen! Over de schouder weglopen begint vaak al in de bocht voor de sprong.

Straffen heeft geen zin, maar je mag het gedrag wel corrigeren. Schiet het paard er weer langs, bijvoorbeeld aan die rechterkant, rijdt hem dan volgens zijn eigen vluchtroute weer terug naar de sprong. Zet hem voor de hindernis en wijk een stukje naar links. Hij luisterde onvoldoende naar je rechterbeen, dus daar wil je hem op attenderen.
Nu je weet dat de rechterkant de zwakke kant is, kun je daaraan werken door vaker naar links te wijken. Uiteraard neem je tijdens het springen vanaf nu je zweepje in je rechterhand.

Blijft het paard de hindernis ontwijken, vraag je dan af waarom. Is er iets veranderd, is de sprong bijvoorbeeld hoger geworden? Bouw eens een stuk lager om hem weer vertrouwen te geven.

Stopper

Net voor de sprong plant je paard zijn hoeven in het zand en weigert de hindernis te nemen.
Misschien snapt hij je niet of durft hij niet. Misschien heeft hij ergens last van en doet springen pijn. Of misschien heeft hij gewoon geen zin, dat kan ook.
Vaak kun je aan de houding van het paard zien wat de reden is. Een paard dat niet durft, pijn heeft of in de war is, oogt gespannen. Zijn staart zwiept, zijn oren gaan naar achteren en zijn ogen kijken wat wilder. Een paard dat gewoon geen zin heeft, stopt met een vrij ontspannen 'bekijk-het-maar-houding'.
Met een bang paard kun je een stapje terug doen en het nog eens proberen met een lagere of minder enge sprong. Een paard dat pijn heeft moet uiteraard worden nagekeken voordat je verdergaat.

Stoppen kan ook aan de manier van rijden liggen. Misschien stoorde je hem en kwam hij niet uit, misschien was je onduidelijk met je hulpen of misschien ontbrak de controle. Rijd opnieuw aan en voel wat er onder je gebeurt. Wat doe jij en wat doet het paard? Soms komt een paard al ver voor de hindernis iets terug in tempo en vraagt hij om extra bevestiging van de ruiter. Geef je hem die wel?

Word niet boos, want dan reageer je vaak onrechtvaardig. Maak er ook geen drama van en maak je geen zorgen. Hij stopte gewoon, dat is alles. Je mag uiteraard wel aangeven dat dit niet de bedoeling is.

Veel ruiters schoppen het paard als hij stopt en trekken gelijktijdig aan de teugels. Dit heeft weinig met springen te maken. Het paard weet ook al vrij snel dat hij klappen krijgt, dus spant zijn spieren en incasseert.

Trainer Wim Bonhof adviseert dit: laat het paard eerst even nageven en geef hem dan een tikje. Als hij zijn achterbeen naar voren zet, heeft hij je begrepen. Geef één tikje en niet meer anders wordt hij bang voor jou. Draai daarna rustig om en probeer het nog eens.

Stormer

Voor sommige paarden is het een maniertje. Zij versnellen de laatste passen en trekken aan op de sprong en daar is niets mis mee. Maar als je geen controle meer hebt over het tempo en het paard aan het parcours begint alsof hij op een renbaan staat, noemen we dat stormen.

Een stormer is geen ideaal paard voor beginnende springers. Het kan je zelfvertrouwen een aardige deuk opleveren en eventuele angst groter maken, dus bedenk of je wel met dit paard wilt springen.

Wil je dit probleem aanpakken? Voel dan eens goed aan beide teugels. Een paard dat stormt zit meestal aan één kant vast. Op één van de twee teugels heb je meer gewicht dan op de andere. Houd hem in dat geval meer in met die slappe kant, de teugel waar je minder druk op hebt. Probeer wel steeds een 'elastische hand' te houden. Dat wil zeggen dat je je hand niet vastzet, maar tot op zekere hoogte meegaat met de mond van het paard. Als hij trekt, staat jou hand iets toe, zodat het gewicht op je teugel niet toeneemt. Dit doe je overigens zonder het contact te verbreken. Wat hij

te veel aan gewicht neemt door te trekken, laat jij als gewicht gaan door je hand toe te staan.
Rijd zo nog eens op de hindernis af.

Ga in ieder geval niet aan de mond hangen. Het paard zal het bit vastpakken en net zo hard doorrennen. Als een paard zich sterk maakt in de mond, moet je hem juist voorzichtig tegenhouden. Dan begrijpt hij beter dat je langzamer wilt. Als jij je sterk maakt, maakt hij zich ook sterk.

Vliegende balken

Liet het paard zijn benen hangen en heeft hij de hindernis afgebroken? Misschien was hij wat minder enthousiast. Sommige paarden doen nauwelijks moeite als de sprong te laag is. Probeer hem in dat geval wat attenter te maken. Rijd een paar tempowisselingen en gebruik iets meer benen als je op de sprong af rijdt. Een alerter paard is vaak ook voorzichtiger.

Het paard kan er ook een balk aftikken omdat de ruiter voor of achter de beweging zat en hem stoorde. Let dus nog beter op je houding en zit. Houd het ritme vast, blijf wachten en zit stil.

Of misschien vallen de balken omdat het paard gewoon wat minder atletisch is. Dat kan ook. Niet alle paarden zijn even soepel.

Als een gazelle

Soms maakt het paard net voor de sprong nog heel snel een extra pasje. Als een gazelle, met vier benen tegelijk, springt hij over de hindernis heen. Het gevolg: jij raakt uit balans, kan niet meer meegaan met de beweging en wordt even goed door elkaar geschud.

Mag ik raden? Deed je toen dit gebeurde juist heel erg je best om het paard goed passend voor de sprong te krijgen? Zo'n rare sprong bewijst namelijk dat ritme en balans ontbreken. Waarschijnlijk hield je het paard in, reed je weer vooruit en hield daarna toch nog wat in.
Laat het paard de volgende keer zelf zijn afstanden inschatten. Jouw taak?

Houd één basistempo vast, houd je been erbij en wacht af. Doe zelf niets, behalve aanleuning houden. En blijf ontspannen, blijf ademen, anders voel je nog niet wat het paard doet.

Specialiteiten
Deel 2: carrousel rijden

Zestien ruiters draven, galopperen, wenden af en veranderen van hand. In veel lessen wordt het een chaos met zoveel drukte. Nu niet, want deze ruiters rijden twee aan twee in een colonne. Op aanwijzen van de commandant wenden ze gelijktijdig af, steken de rijbaan over en komen gelijktijdig weer op de hoefslag.
Carrousel is 'uitgevonden' om grote groepen op een geordende manier in de rijbaan te laten rijden en ze toch iets interessants te bieden. Maar dat was toen, begin 1900.

Tegenwoordig is carrousel een volwaardige nieuwe tak van sport. De Verenigde Carrouselclubs in Nederland telt inmiddels 70 groepen, bestaand uit 1.100 ruiters. Er worden zelfs Nederlandse Kampioenschappen gehouden.

De verklaring voor deze toenemende populariteit? Carrousel is om te beginnen een van de weinige hippische teamsporten. Daarnaast vormt het een aardige uitdaging, want deelnemers moeten hun paard naast een ander en achter een ander kunnen houden en gelijktijdig, maar toch zelfstandig alle oefeningen kunnen uitvoeren in een constant tempo. Dat vraagt om kundigheid. Een gebrek hieraan is moeilijk te verbergen. Je ziet het bijvoorbeeld meteen als jij je paard niet kunt recht richten op de A-C-lijn. Jij bent dan namelijk degene die buiten de rij rijdt.

Carrousel zoekt carrouselruiter: heb jij het in je?
Een carrouselproef duurt ergens tussen de twaalf en vijftien minuten, je

maakt minder overgangen dan in een dressuurproef dus het grootste deel van de tijd moet je doorzitten. Dit lukt alleen met een correcte houding en zit en een behoorlijke conditie. Heb je die? En ben je anders bereid extra zitlessen te nemen? Zo zijn er meer voorwaarden.

Bedenk bijvoorbeeld ook dat je tijdens het wedstrijdseizoen je privéagenda misschien rond het rooster van het team moet plannen. Wanneer jullie een finaleplaats veroveren kan dit betekenen dat je pas later op vakantie kan gaan.
Ook als je je een keertje minder lekker voelt of minder zin hebt, zul je toch moeten rijden. Een teamsport vraagt tenslotte om een teamspelersmentaliteit.

Tijdens de carrouselles is er geen tijd om je rijtechniek te verbeteren. Als je paard wat vastzit aan een kant, onvoldoende voorwaarts loopt of niet lekker door de hals komt, moet je je tanden op elkaar zetten en er het beste van maken. Tijdens deze les worden er alleen aanwijzingen gegeven om de carrouselproef te verbeteren. Alle aanwijzingen hebben te maken met de uitvoering van figuren.
In veel gevallen zal de instructeur van je verwachten dat je twee keer per week les neemt; een dressuurles om je rijden te verbeteren en een carrouselles om de proef te verbeteren. Daar moet je uiteraard wel het geld en de tijd voor hebben.
Zelfs als je aan alle eisen voldoet, is toelating tot het team onzeker. Het hangt er ook van af of er nog een geschikt paard vrij is. Als jij 1,85 meter

NK carrousel rijden
De Verenigde Carrouselclubs in Nederland (VCN) heeft het doel carrousel rijden te promoten en doet dit door cursussen te geven aan instructeurs en wedstrijden te organiseren voor carrouselgroepen. Er is zelfs elk jaar een heus Nederlands Kampioenschap. De beste groep in de A-poule mag zich kampioen noemen. Daarnaast wordt een prijs uitgeloofd voor 'het schoonste geheel', de Prix d'Elegance. Bij dit onderdeel worden punten gescoord met de kleding van de ruiters en de commandant, het harnachement van de paarden en de verzorging van het geheel.
De VCN is een onderafdeling van de FNRS. Alleen FNRS-maneges mogen dus meedoen aan de wedstrijden.
www.vnccarrousel.nl

lang bent en er alleen nog een E-pony beschikbaar is, is er op dit moment helaas geen plekje voor je in het team.

Word je dan toch in de groep opgenomen, dan begin je meestal als reserveruiter. Dat wil zeggen dat je wel tijd moet inplannen, dat je regelmatig op verschillende plaatsen in de groep invalt, maar zelden wedstrijden meerijdt.

Carrouselrijden moet uiteraard ook leuk zijn. Je mag zelf ook enkele 'mitsen en maren' aangeven. De lol is er snel af als je op een paard rijdt waar je geen klik mee hebt. Het is ook niet gezellig om alle lessen naast een ruiter te rijden die je niet mag. Vraag je instructeur om hier rekening mee te houden als dat even kan.

De kunst van carrousel

Carrouselrijden begint thuis, want daar doe je het voorwerk. Vraag de commandant een beschrijving van de proef en teken thuis de rijbaan uit. Zet alle letters op de juiste plaats en teken de tien-meterlijnen op de lange zijde en de vijf-meterlijnen op de korte zijde. Om een figuur zoals een gebroken lijn of volte halve baan correct te kunnen rijden, moet je namelijk precies weten voor welke lijn of letter je moet blijven of welk punt je juist moet raken. Zorg dat je al die punten kunt dromen zodat je tijdens de proef op andere dingen kunt concentreren.

Je positie in de colonne bepaalt je verantwoordelijkheden en de eventuele problemen die dit met zich meebrengt. Paarden die achteraan lopen moeten bijvoorbeeld gemakkelijk kunnen schakelen. Zij moeten snel eventuele gaten kunnen opvullen als voorgangers net iets te snel of net iets te langzaam hebben gelopen. Maar ruiters die achteraan rijden, worden soms ook even kopruiter en een paard dat voorop loopt moet een constant rustig tempo kunnen aanhouden. Hij moet ook moedig genoeg zijn om de hele groep te leiden.

Begin je net en ben je niet zeker van je paard, kijk dan naar een plekje als tweede of derde in de rij. Daar kun je ervaring opdoen, zonder het geheel te veel te storen.

In oefeningen waarbij de paarden bijvoorbeeld allemaal naast elkaar op een volte lopen zal vooral het paard aan de buitenkant harder moeten draven om de rest bij te houden. Het paard aan de binnenkant, moet juist heel verzameld kunnen lopen.

Nog een regel om rekening mee te houden: de kopruiter van het linkerpeloton geeft steeds het tempo aan. Rijd je twee aan twee, dan geeft de buitenruiter het tempo aan.

Alle ruiters in het team moeten leren hun afstand te bewaren. Vroeger liepen de paarden bijna kop aan kont en zaten ruiters beugel aan beugel. Zo vormden de cavalerie een gesloten colonne. Dat is veranderd. Hoewel de verschillende commandanten verschillende meningen hebben over de perfecte afstand, houden de meeste een meter aan; een meter afstand van de ruiter die naast je rijdt en een meter vanaf het hoofd van jouw paard naar de kont van het paard voor je. Dit geeft iedereen net wat meer ruimte om prettig te kunnen bewegen. Het levert de ruiter wel een extra moeilijkheid op, want die moet de afstand constant bewaren en bewaken. Neem de proef er nog eens bij en bekijk jouw positie binnen de groep en welke punten je zou kunnen oefenen tijdens je dressuurlessen.

'Moet hij nu wel aan de teugel?'

Bij dressuurwedstrijden vragen ruiters zich vaak af of het paard aan de teugel moet lopen. Bij carrouselwedstrijden is dat net zo. Bij dressuurwedstrijden hoeft het vaak niet. Maar in dit geval is het antwoord: ja, liever wel. Maar je commandant kan je helpen. Hij mag er bij deze wedstrijden voor kiezen alle paarden met een martingaal te laten lopen en daar wordt vaak gebruik van gemaakt. Waarom? Het is al een paar keer gezegd: een paard dat met zijn neus omhoog loopt, drukt zijn rug weg waardoor de ruiter minder prettig zit, harder op de rug bonkt, het paard pijn kan krijgen in zijn rug en een reden heeft zijn rug verder weg te drukken. Hier heb je geen last van als je het paard netjes aan de teugel laat lopen en een martingaal maakt dit makkelijker.

Maakt jouw commandant geen gebruik van hulpmiddelen? Zie hier de geruststellende woorden van Antoinette Diks, bedrijfsleider en instructeur van manege Hillegersberg en commandant van twee kampioenscarrouselgroepen: „Ruiters proberen soms heel krampachtig het paard aan de teugel te laten lopen en dan lukt het juist niet meer. Ze zijn te gefocust om goed te kunnen voelen wat het paard doet. Het klinkt misschien gek, maar tijdens het carrouselrijden gaat het vaak beter. Ruiters hebben helemaal geen tijd om te 'prutsen'. Je moet hier links wenden, daar rechts, achteraan aansluiten en ondertussen de anderen in de gaten houden. De ruiters kijken eindelijk eens om zich heen en het paard kan zich eindelijk ontspannen en komt vanzelf naar beneden."

In geval van nood...

Tijdens de wedstrijd krijgt je paard het ineens op zijn heupen en een onderdeel lijkt volledig in het water te vallen. Wat moet je doen? Nu niets meer, maar bespreek voor een volgende wedstrijd een calamiteitenplan met je commandant. Hoe verwacht hij dat je omgaat met problemen en missers tijdens de proef? Meestal geldt deze regel: wat er ook gebeurt, ga zo snel mogelijk terug naar je plek en naar de gang waarin je zat. Kies ook in alle gevallen de minst storende oplossing. Corrigeer het paard dus niet als hij in de verkeerde galop springt, maar rijd gewoon door. Rijd je aan de binnenkant en kom je voorbij een hoek? Rijd iets naar binnen om wat meer ruimte te creëren en maak razendsnel een overgang naar draf, spring opnieuw aan en ga terug naar je plaats. Maar doe dit alleen als je zeker weet dat het lukt!

 Tip: misschien is er geen carrouselgroep op je manege, misschien wil je helemaal niet bij de carrouselgroep, maar wil je jezelf wel eens testen. Vraag je instructeur of je tijdens de dressuurles naast een vriend of vriendin mag rijden. Werk de paarden eerst zelf los, maar volg alle volgende opdrachten van je instructeur zij aan zij op of verzin jullie eigen figuren en opdrachten.

HOOFDSTUK 7

Het doel van je lessen:
Eh... leren paardrijden?

In al die jaren dat ik heb gereden, heb ik nooit doelen gesteld. Ik kan je dus ook niet vertellen of ik ze heb bereikt. Ik wilde paardrijden en dat heb ik gedaan. Maar het duurde wel even voordat ik die langverwachte buitenrit mocht maken en voor die eerste springles moest ik zelfs naar een andere manege. Heb ik wat gemist? Ja, ik denk het wel.

Topsporters doen het al jaren en trainers ook, maar op de manege is doelen stellen nog vrij nieuw. Waarschijnlijk wordt je instructeur wel even stil als je zegt dat je je doelen wilt bespreken, maar laat dat je vooral niet ontmoedigen. Elke instructeur geeft de voorkeur aan een gemotiveerde ruiter. Hij wil je verder helpen, dat weet ik zeker. Je maakt het hem een stuk gemakkelijker als je vertelt hoe je geholpen kunt worden.

Ja, ik wil

Waarom wil je eigenlijk paardrijden? Wil je met paarden omgaan en ze verzorgen, droom je van een eigen paard, hoop je nog eens wedstrijden te kunnen rijden of willen jij en je vriendinnen gewoon iets gezelligs doen en viel de keuze op paardrijden?
Welke tak van sport heeft je voorkeur? Springen, dressuur, buitenrijden of misschien carrouselrijden? Is dat haalbaar of zijn er nog bepaalde dingen die je eerst onder de knie moet krijgen. (Daar heb je je eerste doel al!)
Probeer je wensen voor jezelf op een rijtje te zetten en kijk of je met je huidige lessen ook daadwerkelijk naar je doel toe werkt
Als je dol bent op paarden en ze graag verzorgt, mis je iets als je nooit hoeft te poetsen en te zadelen. Als jij dressuurwedstrijden wilt rijden, maar de rest van je groep stemt steeds voor een buitenrit, dan kom je ook niet ver. En wie op zoek is naar een gezellig uurtje en sociale contacten heeft behoefte aan een gezellige kantine. Is die er wel?

We moeten praten

'We moeten praten. Over mijn doelen. Wanneer heb je tijd?' Nogmaals, je instructeur kan even vreemd opkijken als je dit zegt. Misschien kun jij het beter verwoorden, maar hoe je dat ook doet, maak duidelijk dat je een keer wilt babbelen. Maak het liefst een afspraak zodat jullie de tijd hebben en apart kunnen gaan zitten.

Vertel wat je wensen zijn en vraag naar de mogelijkheden. Als je huidige les niet voldoet, kun je misschien overstappen naar een andere groep. Misschien wil je in de springles, maar voldoe je (nog) niet aan de voorwaarden. Geen punt. Nu je hebt aangegeven wat je doel is, kun je daar samen met je instructeur gericht aan werken.

Als de koers is uitgestippeld, ben je er nog niet. Waarschijnlijk moet je wel een keer bijsturen. Misschien heb je nieuwe wensen. Misschien valt springen toch tegen en ben je na een bezoek aan een paardenevenement helemaal geïnspireerd om aan KNHS-dressuurwedstrijden mee te doen. Bespreek het met je instructeur. Nu hij van de eerste schrik is bekomen kun je gerust wat vaker om de tafel gaan zitten. Je kunt dan bijvoorbeeld ook vragen wat hij van je vorderingen vindt. Of misschien heeft hij suggesties hoe je je doel sneller kunt bereiken? Vraag het hem gewoon.

Doelen stellen klinkt misschien wat overdreven, maar het zou zonde zijn als je jaren rijdt, niet krijgt wat je wilt en daardoor langzaam je motivatie verliest.

G.R.O.W. S.M.A.R.T.
Slim op je doel af

Coaches gebruiken twee hulpmiddelen bij het stellen en bereiken van doelen; het grow-model en het smart-model. Het is niets ingewikkelds en ook handig bij het verwezenlijken van kleinere dromen zoals over het strand galopperen.

Grow

Grow helpt je in vier stappen je doel te bereiken door je Goal, Reality, Options en je Will te onderzoeken.

Stap 1: formuleer je doel. (Goal)

Voorbeeld: je wilt een keer over het strand galopperen
Je wilt in een carrouselgroep rijden
Je wilt aan een springwedstrijd meedoen.

Stap 2: wat is de huidige stand van zaken? (Reality)

Voorbeeld: Je durft nog niet goed in galop.

De manege heeft geen carrouselgroep.

Je rijdt meestal in een dressuurles omdat je op de avond van de springlessen geen tijd hebt.

Stap 3: wat zou kunnen helpen bij het bereiken van je doel? Geld, hulp, tijd? (Options)

Voorbeeld: Je hebt een bonus gekregen.

Je hebt de sleutel van de kopieerruimte.

Je hebt gehoord dat je overbuurmeisje oppast.

Stap 4: wat houd je nog tegen? Ga aan de slag! (Will)

Voorbeeld: Je besteedt een deel van je bonus aan privélessen zodat je de galop sneller onder de knie krijgt.

Je kopieert een stapel flyers waarin je de andere ruiters oproept samen bij de manege-eigenaar te smeken om een carrouselgroep.

Je vraagt je overbuurmeisje op te passen en gooit je agenda om zodat je in de springles kunt meerijden.

Smart

Het Smart-model sluit aan op de eerste stap van Grow, het formuleren van je doel. Smart maakt dit doel Specifiek, Meetbaar, Afgesproken, Realistisch en Tijdgebonden.

Specifiek: omschrijf je doel wat nauwkeuriger. Wat wil je bereiken, wanneer, waarom en hoe? Voorbeeld: je wilt komende zomer op je lievelingspaard over het strand galopperen, samen met je vriendin en haar favoriete paard, want daar droomden jullie als kinderen al van.

Meetbaar: wanneer heb je dit doel bereikt? Hoe ziet succes er in dit geval uit? Voorbeeld: ben je al tevreden met een carrouselgroep die eens per maand oefent of heb je je doel pas bereikt als jullie hebben opgetreden voor een groot publiek?

Afgesproken: is het haalbaar?

Voorbeeld: Kan het buurmeisje op de avond van de springles wel oppassen en kun jij je agenda wel omgooien of krijg je daardoor problemen met je werk?

Tijdgebonden: wanneer ga je de eerste stappen zetten? Geef jezelf een deadline. Voorbeeld: je plant die strandrit voor het eerste weekend in juli.

Je schrijft de carrouselgroep nu alvast in voor de kampioenschappen van volgend jaar.

Vanavond bel je je overbuurmeisje en morgen bespreek je je agenda met je baas.

Noteer data en bijbehorende stappen in je agenda anders blijft het risico dat je het voor je uit schuift.

HOOFDSTUK 8

Komt een ruiter bij de manege
Met een testformulier

Er zijn manegepaarden die de galopwissels kennen, er zijn instructeurs die je een uur lang fanatiek achter je vodden zitten en er zijn manegekantines waar je na de les kunt genieten van een mosselpannetje. Er zijn ook maneges waar je niets van dit alles vindt.

Voor het paardenblad Bit heb ik bijna honderd maneges bezocht en beoordeeld en geloof me, het verschil tussen maneges is groot.

De toon van de manegetest was altijd kritisch, maar mijn waardering werd steeds groter. Met plezier legde ik mijn lat hoger omdat verschillende maneges bewezen dat ik meer mag verwachten dan ik deed.

Waarschijnlijk heb jij al een vast adres. Toch wil ik je aanraden die manege eens onder de loep te leggen. Doe je eigen test. Beoordeel de manege, net als Bit doet, op hun paarden, de tuigage, stallen, instructie, de omgang met ruiters en paarden, de kantine en de omgeving. En proef de sfeer! Zet de plus- en minpunten op een rij en stel jezelf deze vraag: is dit de beste manege in de buurt, past deze manege bij jou en kun je hier je doelen bereiken? Of leg je de lat te laag?

Ben je nog opzoek? Ga shoppen! Te vaak kiezen ruiters voor de dichtstbijzijnde manege of voor de manege waar vrienden rijden. Mijn advies: boek een les op verschillende bedrijven, neem een (kritische) vriend of vriendin mee en maak na de tests een keuze.

Paarden: gezond en blij

Dit is het belangrijkste onderdeel van de test, de paarden. Jij kunt opstappen als de manege je niet bevalt (en hopelijk doe je dat ook) maar paarden zijn overgeleverd aan de situatie. Hun lichamelijke en mentale gezondheid staat voorop. En nee, je hoeft geen dierenarts te zijn om dit te kunnen beoordelen. Houd deze richtlijn aan: een gezond en blij paard kijkt helder uit zijn ogen en reageert alert op zijn omgeving. En hij is ontspannen! Hij kijkt geïnteresseerd op als je voorbij loopt. Hij deinst niet verschrikt terug en springt ook niet met open mond en ontblote tanden op de tralies af.

De ribben kun je niet zien, maar wel voelen. De vacht glanst en de haren liggen plat. Behalve als het paard geen deken draagt in de winter, want dan staat het haar overeind en ziet het paard er pluizig uit.

De hoeven zien er gaaf uit, zonder ribbels, brokkels of scheuren. De straal is droog en reukloos. Hoefijzers zijn vaak onnodig dus leveren geen extra punten op. Het is natuurlijk wel belangrijk dat eventuele ijzers er netjes onder zitten en de nagels zijn weggewerkt.

Afwijkend gedrag zoals weven ontstaat vaak uit verveling en onvrede. Het paard wiebelt dan op en neer van het linkervoorbeen op het rechter, heen en weer. Dit is een vorm van zelfmedicatie. Het geeft het paard een fijn gevoel. Om diezelfde redenen kan het paard ook gaan luchtzuigen; uit onvrede of door een verkeerd voermanagement.
Als er meerdere paarden op de manege staan te weven of te zuigen mag je zeker je vraagtekens plaatsen. Een enkel geval zegt niet veel. Het gedrag kan namelijk ook een gewoonte zijn geworden.

Kijk eens hoe de paarden onder het zadel lopen. Een tevreden paard laat de staart rustig afhangen en heeft een levendig orenspel. Zijn passen zijn regelmatig, in tegenstelling tot een kreupel paard, want die lijkt steeds iets op één been te 'vallen'. Vooral in draf is dit goed te zien. Sommige manegehouders maken onderscheid tussen onregelmatigheid en kreupelheid. Ik vind dat onzin. Ook een paard dat onregelmatig loopt, ontlast zijn been met een reden.
Door stijfheid kan het paard ook minder regelmatig lopen, maar dat verdwijnt als het goed is na een paar rondjes.

Hoe vaak worden de paarden nagekeken door de dierenarts, de hoefsmid en/of tandarts? Vraag er gerust naar.

Tip: welke rassen staan op stal. Tinkers, trekpaarden en Fjorden zijn dankzij hun rustige karakter ideaal voor beginnende en zelfs bange ruiters en erg geschikt voor een heerlijk ontspannen buitenrit. Maar, met alle respect voor deze harde werkers, de meeste Tinkers, trekpaarden en Fjorden zijn niet de beste leermeesters als je verder wilt komen in dressuur of springsport. Er zijn uiteraard uitzonderingen, maar de meeste zijn door hun grovere bouw minder atletisch en daardoor meer geschikt voor recreatie.

Als jij wedstrijden wilt rijden kom je verder met paarden die voorheen in de sport liepen en de kneepjes tot bijvoorbeeld M-niveau kennen. Die manegepaarden zijn er ook.

Tuigage: passend, verzorgd en compleet

Een zadel en hoofdstel zijn vergelijkbaar met schoenen. De pasvorm komt nogal nauw. Als het goed is hebben de paarden dan ook hun eigen tuigage.

Nu een strikvraag: hoeveel dekjes, bont en rubbertjes liggen er onder de zadels? Dit lijkt misschien een pluspunt, maar dat is het niet altijd. Een sjabrak beschermt het zadel tegen het paard, tegen het zweet. Het paard zou niet beschermd hoeven te worden tegen het zadel. Een goed passend zadel heeft geen extra vulling nodig. Sommige maneges leggen een bontje onder het zadel om te veel gebonk op de paardenrug te voorkomen. Dat is natuurlijk wel prettig.

In de zadelkamer kun je zien hoe de tuigage wordt opgeruimd. Voor het leer is het beter dat de sjabrakjes na het rijden onder het zadel uitgehaald en weggehangen worden om te drogen. Alle dekjes zouden regelmatig gewassen moeten worden zodat de vieze en harde stof niet gaat schuren.

Vies en droog leer kan scheuren. Kijk in het kader van veiligheid dus naar de verzorging van het leer. Voelt het soepel? Kijk ook naar de gespen en riempjes. Uitgescheurde gaten, ontbrekende onderdelen en doe-het-zelf-aanpassingen met strotouwtjes zijn minpunten.

Beenbescherming zoals peesbeschermers en strijklapjes zijn meestal niet nodig, maar de intentie is goed. Ik vind het op zijn minst een sympathiek gebaar.

Stallen: ruim, sociaal, schoon en licht

De huisvesting van paarden levert veel discussies op, zeker nu dierenwelzijn zo'n belangrijk punt is geworden. De aard van het paard vraagt om veel beweging, veel frisse lucht, sociale contacten met soortgenoten en de mogelijkheid om de hele dag door kleine beetjes te kunnen eten. In de ideale situatie staat het paard dus 24 uur per dag, zeven dagen per week in een smakelijke weide met een groep vrienden. Maar dat kan vaak niet.

In de HIT-actief stal, een nieuw soort paardenhuisvesting, staan paarden inderdaad 24/7 buiten in een groep en kunnen dankzij een chip meerdere malen per dag kleine porties voer halen bij voerstations. Voor slecht weer is er een schuilplaats.

Deze 'stal' maakt het mogelijk op een relatief klein stukje grond een natuurlijke situatie na te bootsen. Een voorbeeld hiervan zie je bij Stal Mansour in Arnhem. Volgens Rik Stein, de eigenaar van die manege, is er maar één nadeel: „De paarden staan altijd buiten en worden dus viezer." Grinnikend vult hij aan: „Mensen die een hekel hebben aan borstelen zien dat als een nadeel!" En die zijn er.

Een alternatief is om paarden overdag buiten te zetten en 's avonds op stal, maar het behoud van de weide is dan vaak een probleem. Veel Nederlandse weides zijn simpelweg te klein om een groep paarden de hele dag, iedere dag te kunnen voorzien van voldoende gras. En door het natte klimaat wordt de weidegrond snel vertrapt. Er zal dus bijgevoerd moeten worden.

In veel gevallen zijn paardenhouders voor langere of kortere tijd dus toch aangewezen op een stal. Ook dan zijn er goede en minder goede opties. Een goede stal is minimaal drie bij drie meter groot, meer dan twee meter hoog en lekker licht. Paarden hebben gevoelige luchtwegen, dus een goede stal ruikt fris dankzij een goede ventilatie. De bodem is bij voorkeur bedekt met stro zodat het paard wat kan knabbelen. Scherpe randjes of puntjes zijn weggewerkt zodat het paard zich nergens aan kan bezeren.

Het vraagt wat creativiteit om paarden op stal sociaal contact met soortgenoten te kunnen bieden. Maar het kan wel! Er zijn bijvoorbeeld stallen waarvan de wanden maar tot borsthoogte komen, zodat de paarden met hun buren kunnen snuffelen en kroelen. Het is ook een optie een deel van de dichte zijwand te vervangen door tralies. Dan kunnen de paarden hun buren in ieder geval nog zien en met ze snuffelen.

Een raam in de achterwand of een opening in de tralies aan de voorkant komt vaker voor. De paarden kunnen zo met hun hoofden op het gangpad of naar buiten om hun vrienden te zien.

Stallen met drie dichte wanden en tralies zonder opening aan de voorkant zijn inmiddels achterhaald, zeker als de stal uitkijkt op een muur.

Stands, de stallen bestaand uit schotten of balken waar het paard tussen staat, zijn alleen geschikt voor korte periodes. Ze bieden simpelweg te weinig bewegingsruimte.

De ideale situatie is zoals gezegd vaak onmogelijk, maar je wilt kunnen zien dat de manegehouder moeite doet het zijn paarden naar de zin te maken en probeert tegemoet te komen aan de natuurlijke behoeften van het paard.

Instructie: met een klik

„Om je rijden goed te kunnen beoordelen moet je niet alleen naar de minder goede punten kijken, maar ook naar de goede." Dat hoorde ik mijn favoriete trainer Wim Bonhof tegen een ruiter zeggen. Voor een pessimist als ik was het een eye-opener. Mijn eigen instructeur had een andere aanpak, hij zei dingen als: „Je mag best even uitrusten, maar dat is geen reden om als een zoutzak te gaan zitten." Beide uitspraken hoor ik nog regelmatig in mijn achterhoofd. Het resultaat is dat ik vaker tevreden afstap omdat ik nu van de goede momenten heb genoten. En ik zit stukken netter!

Doorrijden LADY Jumper

Mijn advies: zoek een instructeur die indruk op je maakt. Ga op zoek naar die klik.

Op de manege werken vaak meerdere gediplomeerde instructeurs en het is zeker de moeite waard ze allemaal een keer in actie te zien. Wie spreekt je het meest aan? Hoe worden de aanwijzingen gegeven? Een goede instructeur geeft niet alleen kritiek, maar legt je ook uit hoe het dan wel moet en hij moet kijken of zijn opmerkingen inderdaad het gewenste resultaat opleveren en waar nodig de boel bijsturen.

Een goede les leert je iets nieuws over je paard, over paarden in het algemeen, over paardrijden in algemeen of over jouw paardrijdtalenten

De samenstelling van de groep heeft uiteraard invloed op de les. Wil jij (onderlinge) wedstrijden rijden, zoek dan een groep met gelijkgestemden. Zoek ook een groep die qua leeftijd bij je past.

De groepsgrootte varieert nogal. Stel gerust wat hogere eisen, zakken kan altijd. In een rijbaan van 20 bij 60 meter kunnen tien of hooguit twaalf ruiters rijden. In een rijbaan van 20 bij 40 meter is tien ruiters het maximum en heeft acht de voorkeur. In een vollere bak rijd je elkaar in de weg en een uur is simpelweg te kort om zoveel mensen voldoende persoonlijke aandacht te kunnen geven.

Sla lessen waar je in colonne rijdt liever over. Voor de (eerste) beginnerslessen is het fijn, maar in ganzenpas leer je niet zelfstandig te rijden.

Tip: het is erg leuk en leerzaam om eens een keer bij een andere instructeur te rijden. Hij bekijkt je met frisse ogen en kan je op andere punten wijzen. Hij kan dingen ook net iets anders uitleggen waardoor het kwartje alsnog valt.

Pensionruiters die op hoger niveau rijden hebben vaak een eigen trainer en naar zo'n (privé)les kijken is ook erg leerzaam. En gratis!

Omgang ruiters en paarden: respectvol en klantvriendelijk

'Omgang ruiters en paarden' lijkt een ietwat vaag onderdeel en dat is het ook. Dit gaat namelijk om de kleine dingetjes, zowel positief als negatief. Een speelbal in de stal levert een pluspuntje op, want het is een goed bedoeld extraatje. Noteer een minpuntje als je de instructeur dingen hoort zeggen als 'schop een keer flink'. Het is onhandig taalgebruik en geeft een verkeerd beeld. Kort samengevat: omgang met paarden gaat om tekenen van respect en liefde. Of het gebrek daaraan.

Een goede omgang met ruiters hangt af van service, vriendelijkheid, gezelligheid en gastvrijheid. De instructeur die je tijdens de les na maanden nog met de naam van je paard aanspreekt, krijgt een minpunt. De barman die je bij je derde bezoek een extra zakje suiker bij de koffie geeft omdat hij weet dat je daar straks toch om vraagt, krijgt een pluspunt.

Kantine: met mosselen (maar dat hoeft niet)

RESTAURANT CHEZ GEORGE

Een kantine is geen noodzaak om goed te leren rijden, maar het heeft weldegelijk een toegevoegde waarde. Het voegt plezier toe! Voor of na de les wat drinken met de andere ruiters maakt van paardrijden een sociale aangelegenheid. En als je dan toch ergens blijft plakken, laat het dan een gezellige ruimte zijn met een leuke kaart en vriendelijke barman of -vrouw. Test de kantine dus ook. En check de openingstijden, zeker als je 's morgens of vroeg in de avond rijdt!

In België hebben de kantines van maneges veel weg van restaurants. Ik heb er zelfs mosselpannetjes op het menu zien staan. De tafels zitten er in het weekend vol met ouders en kinderen en die alleen komen om te eten.

Ze hadden net zo goed naar het pannenkoekenhuis of snackbar kunnen gaan, maar op de manege krijgen ze dezelfde gerechten en hebben ze amusement in de vorm van de lessen. Wat een idee!

Omgeving: bosrijk voor buitenritten

Als je wilt buitenrijden is een bosrijke omgeving of korte route naar het strand natuurlijk wel zo handig. Is er geen groen te bekennen, vraag de manege dan of er andere opties zijn. Sommige maneges hebben zelf geen mogelijkheden om buiten te rijden, maar organiseren uitjes naar andere maneges waar ze wel de bossen in kunnen.

Zelfs als je je wilt specialiseren in dressuur, is het fijn af en toe een frisse neus te kunnen halen, bijvoorbeeld in een fraaie buitenrijbaan.

Noteer bij dit onderdeel ook de plus- en minpunten van de accommodatie en het terrein. Maar let op, laat je niet misleiden door een modern of nieuw ogend bedrijf of door wat rommel. Mijn ervaring is dat de buitenkant weinig zegt over de kwaliteiten binnen.

De sfeer: doorslaggevend

Er is nu nog één ding dat de uitslag van je test kan beïnvloeden en zelfs veranderen: jouw gevoel.

Ik heb maneges bezocht die overal aan voldeden, maar waar ik niet wekelijks zou willen rijden. Vraag me niet waarom, want ik kan het niet uitleggen. De manege waar ik ooit ben begonnen voldeed veel minder aan de eisen van een 'goede' manege, maar ik heb nergens met zoveel plezier gereden.

Normaal gesproken ben ik geen voorstander van vage, softe tips, maar ik zou je nu toch willen adviseren 'naar je gevoel te luisteren'. Ik wachtte altijd een dag of twee voordat ik het artikel over de manegetest voor Bit uitwerkte en jij kunt datzelfde doen. Wacht een dag of twee, kijk nog eens naar je lijstjes en maak dan een keuze.

HOOFDSTUK 9

Veiligheid, regels, verzekeringen
en nog wat kleine lettertjes

Hoe vaak ben jij van je paard gevallen? Volgens sommigen zegt het antwoord iets over je kundigheid. Volgens mij is dat onzin, maar ik ben dan ook ontelbare keren gevallen, geschopt, vertrappeld en meegesleurd. De laatste keer viel ik in het bos. Ik genoot van de zon en had de teugels losgelaten om mijn jas uit te trekken. Het paard zag een blaadje, sprong opzij en ik maakte een smak. Het had niets met kundigheid te maken. Het was gewoon dom. Helaas geldt dat voor veel ongelukken.

Veiligheid heb je grotendeels zelf in de hand. Meestal kun je met gezond verstand al veel narigheid voorkomen en ook rijbaanregels helpen. Maar omdat het paard onberekenbaar blijft, is het goed om te weten hoe het zit met verzekeringen en aansprakelijkheid.

De WA-verzekering

Als het goed is heb je een ziektekostenverzekering en ik ga er eigenlijk ook vanuit dat je een wettelijke aansprakelijkheidsverzekering hebt. Daarmee zijn de belangrijkste punten alvast getackeld.

Wanneer je op een FNRS-manege rijdt, ben je extra verzekerd met het Ruiterpaspoort. In dit persoonsgebonden document staat onder andere aangegeven op welk niveau je rijdt. Daarnaast verzekert het je bij ongevallen op de manege en tijdens buitenritten onder begeleiding of in groepsverband. De bedragen waarvoor dit paspoort je verzekert, zijn wel aan de lage kant. De maximale vergoeding voor medische kosten is bijvoorbeeld maar 500 euro per ongeval. Dat geld is zo op bij een behandeling in het ziekenhuis. Zie deze verzekering dan ook als een aanvulling op je eigen verzekering en niet als een vervanging daarvan.

Hoe zit het met de verzekering van de manege? De eigenaar is wettelijk niet verplicht een aansprakelijkheidsverzekering af te sluiten. Toch zullen vrijwel alle (professionele) maneges een dergelijke verzekering hebben. Je kunt er uiteraard naar vragen als je twijfelt.

Aansprakelijkheid

'Dit bedrijf stelt zich niet aansprakelijk voor ongevallen op de manege, in de stallen of tijdens buitenritten.' Misschien heb je een bordje met een dergelijke tekst al eens zien hangen. De boodschap klopt niet helemaal. De eigenaar van een paard kan in eerste instantie namelijk wel degelijk aansprakelijk gehouden worden voor de schade die zijn paard aanricht. Als een paard wordt gebruikt bij het uitoefenen van een bedrijf, kan het bedrijf bij een eventueel ongeval aansprakelijk zijn. Bij de beoordeling van de aansprakelijkheid spelen uiteraard alle feiten en omstandigheden een rol, maar de manegehouder zou in beide gevallen financieel verantwoordelijk kunnen zijn.

Nu de kleine lettertjes: in alle gevallen wordt ook gekeken naar de aansprakelijkheid van de ruiter! Als de manegehouder een cap verplicht, maar jij de jouwe niet hebt opgezet of vastgemaakt, dan kan de aansprakelijk bij een ongelukkige valpartij niet zomaar in de schoenen van de manegehouder worden geschoven. Als jij het paard schopt of slaat en het dier raakt zo in de stress dat hij op hol gaat en jou kilometers lang over het asfalt sleurt, dan heb jij ook schuld. Als de manegehouder aangeeft dat je een bepaalde stal niet in mag gaan en jij doet het toch en wordt eruit gemept… Het plaatje mag duidelijk zijn, 'eigen schuld' is een juridische term die je dan snel zult leren.

Er is nog een laatste puntje wat een eventuele 'zaak' van de manegehouder sterker maakt: bij weinige andere sporten gebeuren zoveel ernstige ongevallen als in de paardensport. Dat is een bekend feit. Er zijn cijfers. Zodra jij in het zadel klimt, neem je dat risico en aanvaard je dat.

Een CE/EN 1384-helm

Het gevaar van paardrijden kun je verkleinen met enkele voorzorgsmaatregelen. Draag om te beginnen altijd een veiligheidshelm! Het ziet er inderdaad niet uit en je haar is na het rijden een ramp, maar daar wen je aan. Nog een goede reden om een cap op te zetten: je kunt problemen krijgen met je verzekering als je het niet doet.

Laat je bij de ruitersportzaak informeren en vraag naar een CE/EN 1384-helm, want die is goedgekeurd. Een helm met neksteun verhoogt volgens sommigen de veiligheid zelfs nog een beetje meer. Je schiet uiteraard het doel voorbij als de helm niet past of als je de kinriem los laat hangen.

Een motorhelm hoor je te vervangen na een flinke valpartij en voor de cap kun je het beste dezelfde regel aanhouden. Kleine scheurtjes kunnen de helm minder veilig maken bij een volgende val.

In België is het verplicht, in Nederland is de bodyprotector nog niet helemaal ingeburgerd. Op dit moment is het alleen verplicht bij bepaalde takken van de ruitersport zoals eventing, maar steeds meer maneges en ook verzekeringsmaatschappijen eisen het dragen van de bodyprotector. Net als de cap, moet ook de bodyprotector aan de EN-norm voldoen. Deze norm, de EN 13158, waarborgt de kwaliteit.
Op www.bodyprotector.eu kun je meer informatie vinden.

Draag kleding die bedoeld is voor de paardensport; een rijbroek en rijlaarzen of jodhpurs met chaps. Zorg voor een jas die wat nauwer aansluit en geen haakjes, flapjes of touwtjes heeft.

En gebruik je verstand. Houd het paard altijd vast. Steek bij het aansingelen bijvoorbeeld een arm door de teugels, loop niet voor een paard, maar ernaast, draai het halstertouw waarmee je het paard leidt nooit om je hand, let op dat je niet geplet kunt worden tussen het paard en de muur en bedenk dat het paard altijd kan schrikken. Blijf alert, zelfs als de zon schijnt!

Rijbaanregels

Om botsingen in de rijbaan te voorkomen zijn enkele rijbaanregels opgesteld die bij vrijwel elke manege gelden:

Roep 'deur vrij' voordat je de rijbaan in- of uitloopt. Het is uiteraard wel handig als je voor die tijd even kijkt of er niet net een ruiter aan komt rijden. Wacht tot de deur ook daadwerkelijk vrij is en doe de bakdeur steeds netjes achter je dicht.

Nasingelen en op- en afstappen gebeurt op de middellijn of in de buurt daarvan.

Linksom heeft voorrang. Ruiters die rechtsom rijden nemen dus de binnenhoefslag als er tegenliggers komen. Passeer elkaar niet te krapjes. Leg die binnenhoefslag zeker op twee meter van de gewone hoefslag.

Snelverkeer gaat voor langzaam verkeer. Wie stapt of draaft, maakt de hoefslag vrij en gaat naar de binnenhoefslag voor de ruiter die galoppeert. Wanneer je, net als de rest in galop zit, maar een overgang naar draf wilt maken, rijd je eerst naar de binnenhoefslag en maak je daarna pas een overgang. Het mag dan voor zich spreken dat je ook niet mag halthouden op de hoefslag.

Als jij 'gewoon' rechtuit rijdt, hoor je de hoefslag vrij te maken voor de ruiter die bijvoorbeeld schouderbinnenwaarts oefent. Oefeningen gaan voor.

Ruiters die een figuur rijden, geven ruiters op de hoefslag voorrang. Met voltes vanaf de binnenhoefslag zit je altijd goed.

Roep tijdens het (los)springen 'sprong vrij' voordat je op de hindernis afrijdt zodat de andere ruiters aan de kant kunnen gaan. Let wel op, want net als in het verkeer geldt dat je voorrang moet krijgen, niet nemen.

Stop direct als iemand van zijn paard valt en blijf stilstaan tot het loslopende paard is gevangen.

En tot slot: geniet vooral van de paardensport!

Nawoord
Rectificatie!

Laatst heb ik te horen gekregen dat ik al jaren verkeerd op een paard zit. Ik probeer namelijk rechtop te zitten en volgens Peggy Cummings is dat niet de manier. ,,Als je rechtop zit, je schouders iets naar achter plaatst en je borst naar voor drukt, spant je onderrug en kun je de bewegingen van het paard niet meer opvangen", zei ze. Cummings heeft een veel betere manier van paardrijden verzonnen en noemt dit 'Connected Riding'. Zie hier dan ook een rectificatie. In hoofdstuk 2 had ik volgens haar moeten schrijven dat je wel rechtop hoort te zitten, maar niet op een overdreven manier. Laat je schouders gewoon lekker iets naar voren afhangen en, de grote truc van Cummings, ontspan je pelvis (bekken). Want alleen met een ontspannen pelvis en zachte spieren in je onderrug, ben je volgens haar echt 'connected' met je paard.

Bijna dagelijks staan er nieuwe 'fluisteraars' op met nieuwe ideeën over paarden en paardrijden. Een deel is onzin. Een ander deel levert aardige suggesties op. Ook de wetenschap komt regelmatig met nieuwe informatie en geeft paardenhouders en ruiters veel stof tot nadenken. Wist je bijvoorbeeld al dat paarden last kunnen hebben van een soort burn-out? Dat heeft de Faculteit Diergeneeskunde in Utrecht vorig jaar aangetoond. Te veel saai werk is een risicofactor, dus zie dat vooral als een motivatie je paard te verrassen tijdens de les.

Zelfs na honderden artikelen over paarden te hebben geschreven, kan ik in alle eerlijkheid zeggen dat ik van elk stuk wat nieuws leer. Zo ook tijdens het schrijven van dit boek, want de blokkentoren uit hoofdstuk 4 was nieuw voor me. Een logische opbouw is zo… logisch en toch had ik er nog nooit over nagedacht. Met etholoog Machteld van Dierendonck heb ik al vaker gesproken maar er blijven kwartjes vallen. Nu weer. Dat gaat ongeveer zo: zij beschrijft een bepaalde actie van het paard en legt uit waarom de veelvoorkomende reacties van ruiters eigenlijk heel dom zijn.

Ik luister met steeds roder wordende wangen en denk 'Oh shit, dat doe ik ook altijd!'

Ik hoop dat jij, net als ik, iets hebt geleerd van dit boek. Maar ik hoop ook dat je gauw een volgend boek of tijdschrift over paarden pakt, want er is nog heel veel meer te leren.

Misschien tot een volgende keer?

afke

Dank

De informatie, praktische tips en adviezen in dit boek zijn afkomstig van verschillende deskundigen. Het zijn allemaal experts op hun gebied, maar ze hebben (nog) een bijzondere gave. Als ik met deze mensen praat, zie ik hun uitspraken namelijk al in gedachte met vetgedrukte letters voor me in print, want het ene citaat is nog mooier dan het andere. Dat maakt mijn taak, het schrijven, ontzettend plezierig en makkelijker.

Mocht je de kans krijgen een workshop, lezing of les van één van deze mensen te volgen, dan kan ik het je van harte aanbevelen. Datzelfde geldt voor de boeken die ze hebben geschreven.

Ik stel ze graag aan je voor 'in order of appearance':

dr. Machteld van Dierendonck, etholoog

dr. Eric van Breda, sportfysioloog

Wim Bonhof, trainer dressuur en springen

Marion Schreuder, instructeur en docent NHB Deurne

Antoinette Diks, manager en instructeur Manege Hilligersberg in Bergschenhoek

Rik Stein, eigenaar van Stal Mansour in Arnhem

mr. Gea Stibbe, hippisch advocaat

Het zou geweldig zijn als ik de eindverantwoordelijkheid voor dit boek op hen zou kunnen afschuiven, want ik heb een hekel aan verantwoordelijkheden. Maar helaas, eventuele blunders, missers en onjuistheden zijn mijn schuld. Ik hoop dat het meevalt.

Bij het maken van dit boek had ik overigens veel meer hulp nodig en gelukkig heb ik die ook gekregen.

Dank je wel,
Freek Teunen, Ellina Tekelenburg, Renske Dirks, Babs en Thijs Jansen, Ewald Smits, Berend Jan Veldkamp, George de Bruijn, John ter Meer, Joep van Meurs, Figen Danisman, Ton Velthuysen, Mark Hemmer en Remco Teunen

En ik ben Marjan Tulp, de hoofdredacteur van Bit, een extra bedankje verschuldigd voor de aanmoedigingen en natuurlijk voor alle schrijfopdrachten die de inspiratie vormden voor dit boek.

Last but not least... dr. Rico Schuijers. Zonder zijn hulp zat ik nu nog (snikkend) naar een leeg computerscherm te kijken.

Dank jullie wel!

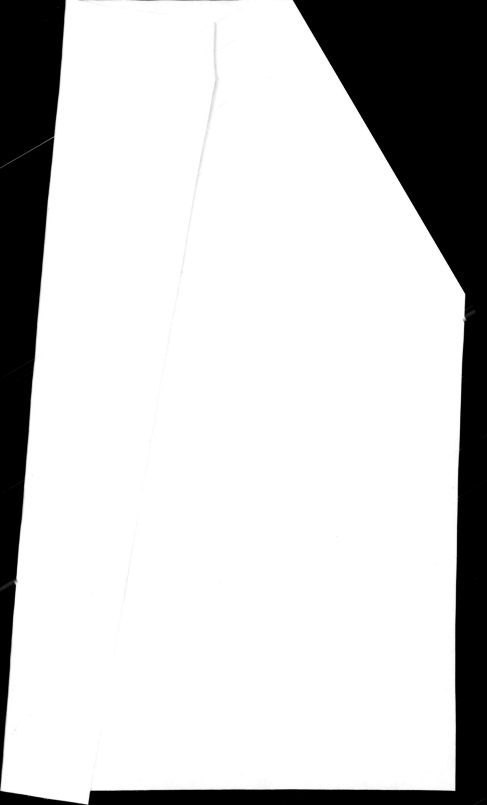